S0-AFX-317

Réalisme Thomiste

et

Critique de la Connaissance

Réalisme Thomiste et Critique de la Connaissance

par

Étienne GILSON

Professeur au Collège de France

PARIS

LIBRAIRIE PHILOSOPHIQUE J. VRIN

6, place de la Sorbonne (Ve)

1947

PRÉFACE

Les nombreux critiques dont l'attention s'est portée sur le Réalisme méthodique *(Paris, Téqui, s. d.), ont considéré et jugé ce petit livre de points de vue souvent différents. Pourtant, deux reproches lui ont été adressés avec une fréquence telle, qu'il m'est difficile de ne pas y voir l'expression d'un sentiment commun digne d'être pris en considération. Le premier est d'avoir limité ma discussion du réalisme critique à deux cas particuliers : celui du Cardinal Mercier et celui de Mgr L. Noël. Or, fait-on remarquer, il y en a bien d'autres. Pourquoi les passer sous silence?* Haec sunt nimium pauca. *Le deuxième reproche est, faute d'en accepter la justification critique, d'avoir transformé l'existence du monde extérieur en un simple postulat* [1].

En ce qui concerne le premier reproche, je pourrais dire, car c'est la vérité, que je ne voyais pas alors, que je ne vois encore pas aujourd'hui

---

[1] « ...non sembra a lui che se : « le problème de trouver un réalisme critique est en soi contradictoire, comme la notion de cercle carré »,(p. 10,) il Realismo si riduca a un puro e simplice postulato? E allora che ne sarà di tutta la *filosofia perenne* che vi si regge sopra? » U. D. I., dans *Angelicum*, 1937, fasc. 3-4, p. 644. D'autres critiques, que l'on me dispensera de citer, m'ont accusé de pragmatisme, comme si je n'avais pas affirmé expressément que le réalisme s'appuyait sur l'évidence de ses principes (*Le réalisme méthodique*, p. 12). Je n'imaginais pas alors que l'on pourrait confondre un principe avec un postulat.

l'utilité de critiquer successivement toutes les formes particulières du thomisme critique néo-scolastique. Il me semblait, et il me semble encore, qu'une discussion dogmatique est à peu près épuisée, quant à l'essentiel, lorsqu'elle a porté sur un ou deux exemples typiques de la thèse en question. On pourra facilement allonger l'histoire du problème, sans que la philosophie ait rien à y gagner. Pourtant, puisqu'on me citait des noms, j'ai dû me convaincre que mes critiques ne voyaient pas eux-mêmes la généralité de mes conclusions et ne savaient pas d'eux-mêmes les appliquer à la solution des cas dont je n'avais pas parlé. C'est pourquoi j'ai dû allonger la liste des thomismes critiques et de leurs discussions dogmatiques. Je n'ai nullement l'illusion d'apaiser par là mes adversaires. Je sais fort bien au contraire que je vais seulement les multiplier. D'abord, si longue qu'elle soit devenue, cette liste est encore incomplète, et on lui reprochera de l'être. Ensuite, la discussion d'une doctrine doit se limiter à ce qu'elle contient d'essentiel du point de vue du problème précis que l'on discute; autrement, elle se perdrait dans le détail infini de l'individuel. Comment éviter de passer pour partial et incomplet aux yeux de ceux que l'on discute et de leurs partisans? Enfin, et surtout, ceux que l'on discute ne manquent pas de répondre. Si l'on ne répond pas à leurs réponses, on semble faire preuve d'un dédain peu courtois, mais toute réponse à leurs réponses engage dans des controverses d'autant plus interminables que ceux qui les entretiennent mettent plus d'art à brouiller les pistes ou, comme l'on dit, à noyer le poisson. Je tiens donc à assurer mes

*critiques, qu'après avoir fait de mon mieux pour
les satisfaire, je n'ai pas la naïveté de penser qu'ils
se tiendront pour satisfaits.*

*Le second reproche, je l'avoue, m'a paru plus
surprenant, et c'est à mes yeux la seule raison valable que j'aie de publier ce nouveau livre. Lorsque
j'ai lu dans une revue thomiste, sous la plume d'un
fils spirituel et intellectuel de saint Thomas d'Aquin,
que l'on me mettait en demeure d'opter entre un
réalisme critique et un réalisme réduit à l'état de
postulat, j'ai dû constater combien profondément
la métaphysique classique était aujourd'hui conta-
minée par la Critique de Kant. Le thomisme de
pareils thomistes, pour qui la notion d'évidence
semble avoir perdu toute valeur et celle de « connaissance humaine » toute signification, est en état de
décomposition avancée. Le présent livre est donc
une analyse critique du cartésiano-thomisme, ou du
kantiano-thomisme, c'est-à-dire un essai de tératologie métaphysique dont l'objet principal est d'é-
clairer le normal à la lumière du pathologique, mais
il est aussi l'expression d'une inquiétude devant
les débauches de concordisme philosophique auxquelles on se livre dans certains milieux scolastiques
contemporains. J'ai dit ailleurs qu'un bon désaccord en philosophie valait mieux qu'une apparence
d'entente dans la confusion. On me l'a reproché.
Je ne m'en dédis pas. La philosophie porte sur des
nécessités de pensée avec lesquelles il n'est pas
permis de biaiser. Si pénible soit-il, un désaccord
est respectable s'il est honnête; mais il n'est pas
possible de tolérer honnêtement la moindre confusion, dès qu'on croit la percevoir dans un pro-*

*blème où les principes mêmes de la connaissance
sont en jeu. En pareil cas, l'effort pour atteindre
une position métaphysique pure exige la recherche
de formules exclusives de tout compromis. Il se
peut qu'en cet effort j'aie parfois passé la mesure,
mais j'aurais commis plus souvent cette faute, si
mon texte n'avait été lu et critiqué avec tant de
soin par M*͡lle* Lucie Gilson, Professeur de Philosophie au Lycée d'Orléans, que je tiens à remercier ici
d'observations et de conseils qui m'ont rendu les
plus grands services.*

CHAPITRE PREMIER

Après avoir passé pendant une vingtaine de siècles pour le type même de ces évidences que seul l'insensé peut songer à mettre en doute, l'existence du monde extérieur a enfin reçu de Descartes sa démonstration métaphysique. Dès que l'existence du monde extérieur eut été démontrée par lui, il apparut aux yeux de ses disciples, non seulement que sa démonstration ne valait rien, mais que les principes mêmes qui rendaient une démonstration nécessaire la rendaient du même coup impossible. Descartes avait en effet posé d'abord que toute connaissance évidente part de la pensée, et d'elle seule; d'où il suit que l'existence du monde extérieur ne peut être tenue pour immédiatement évidente. Mais Descartes espérait la démontrer en appliquant aux sensations le principe de causalité. Comme tout le reste, les sensations doivent avoir une cause. Or nous n'avons pas conscience d'être leur cause, mais plutôt de les subir. Nous n'avons pas non plus conscience de les recevoir de Dieu, mais plutôt de les recevoir de choses extérieures à notre pensée. N'ayant aucune idée claire et distincte qui nous autorise à tenir Dieu pour leur

cause, et, au contraire, une très forte inclination
naturelle à croire qu'elles sont causées en nous
par des choses, nous devons affirmer que ces
choses existent. Car Dieu est parfait, donc il
ne peut nous décevoir, et il nous décevrait si,
nous donnant lui-même directement ces idées, il
nous avait en même temps donné cette irrésis-
tible tendance naturelle à croire qu'elles nous
viennent de choses extérieures à nous. Il est donc
prouvé que le monde extérieur existe [1].

[1] Voir R. Descartes, *Discours de la méthode*, comment. par
E. Gilson, Paris, J. Vrin, 1925, pp. 358-359, sur la certitude
morale, mais qui n'est pas une évidence métaphysique immédiate
de l'existence du monde extérieur. — Sur la démonstration
cartésienne elle-même, voir E. Gilson, *Études sur le rôle de la
pensée médiévale dans la formation du système cartésien*, Paris,
J. Vrin, 1930; pp. 234-255. — Il n'est peut-être pas inutile de
rappeler ici que c'est Descartes lui-même qui affirme que sa
preuve du monde extérieur est une preuve par la causalité :
« Et il faut remarquer que cet axiome doit si nécessairement
être admis, que *de lui seul* dépend la connaissance de toutes
les choses, tant sensibles qu'insensibles. Car d'où savons-nous,
par exemple, que le ciel existe?... » (Descartes, *Secondes
Réponses...* : édit. Adam-Tannery, t. IX, p. 128). Contre l'interprétation de la preuve qui se fonde sur ce texte irrécusable
et que l'analyse même de la preuve confirme abondamment,
on a voulu maintenir que Descartes prouve l'existence du monde
extérieur par la véracité divine. C'est là un abus manifeste, qui
n'autorise pas à mettre en doute la nature de ce que Descartes
fait, et dit qu'il fait. La véracité divine intervient en effet dans
la preuve, mais simplement pour prouver que la cause externe
de nos sensations n'est pas Dieu. Descartes a prévu Berkeley
et il a cherché à l'exclure par ce moyen; mais le fait que Dieu
soit vérace, bien loin d'éliminer la preuve par la causalité, la
rend possible : la véracité divine légitime en effet cette application particulière du principe de causalité, qui permet d'affirmer
que la cause externe des sensations est bien le monde matériel
des corps étendus. — Sur les conséquences historiques de la
démonstration cartésienne de l'existence du monde extérieur,
voir E. Gilson, *The Unity of philosophical Experience*, Scribner's,
New-York, 1937, ch. ii, *The cartesian experiment*, pp. 125-220.

Lorsqu'on la réduit ainsi à l'essentiel, cette démonstration comporte trois moments principaux. Premièrement, une analyse de la sensation qui la fait apparaître, par opposition à l'image, comme un fait soustrait à la volonté et imposé à la pensée du dehors. Deuxièmement, un appel au principe de causalité, qui nous permet de poser, hors de la pensée, une cause de ces sensations dont la pensée elle-même a conscience de ne pas être cause. Troisièmement, un appel à la véracité divine, pour nous assurer que la cause véritable des sensations est bien l'existence de choses créées, distinctes de la pensée, et non pas Dieu. En procédant ainsi, Descartes donnait pour la première fois l'exemple, et le modèle parfait, d'une doctrine où l'existence du monde extérieur est inférée à partir de la pensée. C'est, comme on l'a dit depuis, un « illationisme », nom que l'on doit appliquer à toute doctrine où l'existence du monde extérieur se prouve par application, à un certain contenu de la pensée, du principe de causalité [1].

[1] C'est pourquoi l'on ne saurait nier que la doctrine du cardinal Mercier ne constitue, sur ce point précis, un illationisme de type cartésien (voir E. GILSON, *Le réalisme méthodique*, Paris, Téqui, s. d., pp. 18-32). Les raisons que l'on fait jouer pour le désolidariser de Descartes sont assez curieuses. On dit que le cardinal Mercier ne fonde pas sa preuve, comme fait Descartes, sur la véracité divine. Nul ne prétend qu'il l'ait fait; disons d'abord, avec Descartes lui-même, que la preuve cartésienne est fondée sur le principe de causalité, puis que celle du cardinal Mercier l'est également. Il faudrait prouver le contraire pour les opposer sur ce point. Mais l'argument le plus remarquable consiste à soutenir que le cardinal Mercier a évolué, n'a introduit dans sa doctrine des arguments illationistes que sur le tard et, assure-t-on, sans abandonner l'immé-

diatisme qu'il aurait d'abord professé. Il faut pourtant choisir entre faire de lui un immédiatiste, un illationiste, ou un incohérent. Je le crois un illationiste très cohérent. Mgr L. Noël préfère maintenir à la fois l'illationisme du cardinal, ce qui du moins ne se peut nier, et la persistance de son immédiatisme primitif. Sur quoi il ajoute : « Comment alors cette pensée est-elle cohérente? Ici nous sommes réduits aux hypothèses, et peut-être ne seront-elles guère satisfaisantes et nous laisseront-elles dans une certaine confusion que nous ne dissiperons pas entièrement » (*Les progrès de l'épistémologie thomiste*, dans *Revue néoscolastique de philosophie*, t. 34 (1932), p. 430). C'est admettre qu'il s'est contredit pour lui laisser une chance sur deux d'avoir dit la vérité. Mais rien n'oblige à l'admettre, car s'il est vrai, comme Mgr L. Noël nous l'assure, que le cardinal Mercier a, dès l'origine, admis « une preuve de l'existence du monde extérieur basée sur le principe de causalité » (*art. cit.*, p. 431), c'est en fonction de cette constante de sa pensée qu'il faudrait interpréter le reste. Ce ne serait peut-être pas si difficile qu'on nous le dit. Les textes cités par Mgr L. Noël (*Notes d'épistémologie thomiste*, Paris-Louvain, 1925, pp. 221-223) ne s'opposent aucunement à l'illationisme avéré de la doctrine, car ils affirment : 1° l'existence d'une réalité interne, point de départ de cet illationisme; 2° la conscience de la passivité de nos sensations, ce qui autorisera, comme chez Descartes, à en chercher la cause hors du sujet sentant; 3° le fait que l'esprit se représente d'abord tout ce qu'il saisit dans la nature comme existant en soi, ce dont le cardinal Mercier se sert pour prouver que nous avons de la substance « une *notion* immédiate », et que nous concevons spontanément tout objet comme substance, mais non pour soutenir que nous avons une certitude évidente de l'*existence* des substances. Les textes de la *Critériologie* cités par Mgr L. Noël dans *Les progrès de l'épistémologie thomiste* (p. 432, note 2) ne font pas plus difficulté que les précédents. Le Cardinal y affirme en effet deux idées qu'il me semble avoir toujours maintenues ensemble et qui ne se contredisent d'ailleurs nullement : 1° « nous avons l'intuition sensible directe de choses extérieures »; *directe*, en ceci que nous percevons d'abord des choses, et non pas le fait que nous les percevons; 2° « Mais il nous est impossible d'affirmer avec certitude l'existence d'une ou de plusieurs réalités extramentales sans employer le principe de causalité ». Sa thèse est simplement ici, comme elle semble l'être partout, que l'acte par lequel la perception nous livre directement, et sans intermédiaire réflexif, du réel comme réel, ne garantit pourtant pas avec certitude l'existence extramentale de ce réel, et qu'il faut, pour en être sûr, recourir au principe de causalité. Je dois donc

Quoi que l'on pense de la preuve de Descartes, on doit du moins lui reconnaître le mérite de se donner franchement pour une inférence. Elle l'est, parce que le sentiment de l'évidence des existences appréhendées par la perception sensible en vertu de l'union de l'âme et du corps n'y est pas tenu pour suffisant, et qu'une opération spéciale de l'entendement est requise pour faire de ce sentiment une certitude intellectuelle garantie par le principe de causalité. La pierre d'achoppement de la doctrine n'était pas dans le raisonnement lui-même, qui est impeccable, mais dans le fait que Descartes ne pouvait expliquer la sensation sans admettre une union substantielle de l'âme et du corps. Or, de quelque façon d'ailleurs qu'il l'entendît, cette union contredisait l'exigence cartésienne de leur complète et réelle distinction. C'est pourquoi, partis comme lui d'une pensée qui n'est que pensée, Regius, Géraud de Cordemoy, Malebranche, et généralement parlant ceux qu'on nomme les « Cartésiens », arrivèrent bientôt à la conclusion que la sensation n'implique aucune action du corps sur la pensée [1], d'où il suivait que rien ne restait dans la sensation sur quoi le principe de causalité pût

maintenir qu'il y a, chez le cardinal Mercier, un illationisme parfaitement cohérent et qu'il s'accorde avec Descartes pour juger nécessaire une preuve de l'existence du monde extérieur, à partir du caractère passif de la sensation et grâce au principe de causalité. A cela se limite ma thèse. Il ne suffit pas de prouver que ce que je n'y ajoute pas n'est pas vrai pour la réfuter.

[1] Voir à ce sujet l'étude si claire et si nourrie de faits de H. GOUHIER, *La vocation de Malebranche*, Paris, J. Vrin, 1926; ch. III, *Le principe des cartésiens*, pp. 80-107.

s'appuyer pour en inférer l'existence du monde
extérieur. C'est donc bien parce qu'il était pour
eux nécessaire de prouver l'existence des corps
que cette preuve leur était impossible. Peu leur
importait d'ailleurs. S'ils ne *savaient* pas que le
monde extérieur existe, ils le *croyaient* sur la foi
de la Révélation. Alors survint Berkeley, qui
fit simplement observer que rien ne change dans
le récit de la Genèse, soit que l'on admette
l'existence de la matière, soit qu'on la nie, d'où
il conclut à son tour, et fort logiquement, que
n'étant ni capables de savoir ni tenus de croire
que le monde matériel existe, le plus sage était
de dire qu'il n'existe pas [1].

Lorsque Thomas Reid raconta cette remarquable histoire [2], il n'était pas seulement l'un
des premiers à en discerner le sens, il voulait
aussi rompre le cercle enchanté où, depuis
Descartes, les philosophes tournaient entre le
cogito et l'idéalisme sans arriver jamais à en
sortir. C'est dans une large mesure pour en sortir
lui-même, que Reid élabora sa doctrine du « sens
commun ». Reid n'a nullement prétendu découvrir le sens commun, mais il a tenté de donner
à cette expression, elle-même devenue commune,
une valeur technique et philosophique beaucoup
plus ferme que celle qu'on lui attribue d'ordi-

---

[1] Pour une étude, encore sommaire mais plus détaillée, de
ce problème historique, voir E. GILSON, *The Unity of philosophical experience*, New-York, Ch. Scribner's, 1937, ch. VII,
pp. 176-197.

[2] Thomas REID, *Œuvres complètes*, publiées par Th. Jouffroy,
Paris, 1828, t. III, pp. 148-223; *Essai sur les facultés intellectuelles
de l'homme*, Essai VI, ch. II : *Du sens commun*.

naire. Pour Cicéron, le sens commun était d'abord
cette manière commune de sentir, ce sentiment
moyen de la foule, dont l'orateur doit tenir
compte s'il veut s'en faire écouter [1]; mais c'était
aussi comme un ensemble de jugements spontanés, dont tous les hommes sont naturellement
doués et qui leur permet de discerner le bien du
mal [2]. Ce double sens, d'opinion communément
reçue, et d'opinion fondée dans la nature même
de l'entendement, se retrouve presque toujours
dans les définitions du sens commun. De l'un à
l'autre, le passage est d'ailleurs naturel et facile.
On ne peut donc s'étonner que, dès avant Reid,
et dans un texte dont Reid même se réclame,
Fénelon ait fait appel à cet assentiment spontané et commun donné par les hommes à certains
jugements pour en garantir la vérité. « Qu'est-ce
que le sens commun? » demande Fénelon.
« N'est-ce pas les mêmes notions que tous les
hommes ont précisément des mêmes choses?
Le sens commun, qui est toujours et partout le
même, qui prévient tout examen, qui rend l'examen même de certaines questions ridicule...;
ce sens commun qui est celui de tout homme; ce
sens qui n'attend que d'être consulté, qui se
montre au premier coup d'œil, et qui découvre
aussitôt l'évidence ou l'absurdité de la question,

---

[1] CICÉRON, *De Oratore*, I, ch. III, *ad fin*. Cité par J. Lachelier,
dans A. LALANDE, *Vocabulaire technique et critique de la philosophie*, Paris, F. Alcan, 1926, t. II, p. 75, note. On trouvera,
op. cit., pp. 749-751, d'autres textes de Franck, Jouffroy, etc.,
sur le sens commun.
[2] CICÉRON, *De Oratore*, III, ch. L; cité par Th. REID, *op. cit.*,
p. 39.

n'est-ce pas ce que j'appelle mes idées [1]? »

Cette évidence immédiate et commune, que Fénelon appuie sur sa doctrine des Idées et dont il use pour établir l'existence de Dieu, le P. Buffier la décrivait plus simplement encore dans son *Traité des premières vérités et de la source de nos jugements:* « J'entends donc ici par le SENS COMMUN la disposition que la nature a mise dans tous les hommes ou manifestement dans la plupart d'entre eux, pour leur faire porter, quand ils ont atteint l'usage de la raison, un jugement commun et uniforme sur des objets différents du sentiment intime de leur propre perception; jugement qui n'est point la conséquence d'aucun principe antérieur [2] ». Le plus intéressant pour nous, dans la doctrine de Buffier, est qu'il ait directement opposé sa doctrine du sens commun à la méthode cartésienne du sens intime, et qu'il l'ait fait précisément parce que cette dernière condamne le philosophe au solipsisme. Quand on demande aux philosophes du sens intime « s'il est évidemment certain qu'il y ait des corps et que nous en recevions les impres-

---

[1] FÉNELON, *De l'existence de Dieu*, IIᵉ partie, ch. II, seconde preuve. Cité par Th. REID, *op. cit.*, p. 38, et dans *Vocabulaire techn. et crit. de la phil.*. t. II, p. 751.

[2] BUFFIER, S. J., *Œuvres philosophiques*, éd. par Francisque Bouillier, Paris, Charpentier, 1843; *Traité des vérités premières*, Iʳᵉ partie, ch. V, p. 15. Dans son *Catalogue des Écrivains du siècle de Louis XIV*, Voltaire dit du P. Buffier : « Il y a dans ses traités de métaphysique des morceaux que Locke n'aurait pas désavoués, et c'est le seul jésuite qui ait mis une philosophie raisonnable dans ses ouvrages; » *éd. cit.*, Introduction, p. I. — On notera que, dans ce passage, Buffier commence par distinguer sa conception du sens commun de celle des scolastiques (*op. cit.*, pp. 14-15). Nous reviendrons plus loin sur cette dernière.

sions, ils répondent nettement que non [1]... ». « La première conséquence de ce principe (du sens intime) est celle que nous avons déjà touchée; savoir, que nous n'avons aucune certitude évidente de l'existence des corps, pas même du nôtre propre [2]. » C'est donc bien contre le cartésianisme et l'idéalisme qui en découle que Buffier dirige sa propre doctrine du sens commun, lorsqu'il cite comme le premier exemple des jugements garantis par sa certitude : « Il y a d'autres êtres et d'autres hommes que moi au monde [3] ». Ainsi, dès 1732, cet homme inquiet des conséquences idéalistes du cartésianisme ne voyait d'autre espoir de les éviter que le recours au sens commun, ce complément nécessaire du sens intime, qui garantit l'existence du monde extérieur.

Reprise par Reid, puis par Jouffroy, la doctrine de Buffier ne pouvait manquer d'attirer l'attention des théologiens catholiques, surtout à partir du moment où Lamennais la reprit à son compte,

---

[1] BUFFIER, *Traité des vérités premières*, Iʳᵉ partie, ch. II; éd. cit., p. 9.

[2] BUFFIER, *op. cit.*, Iʳᵉ partie, ch. III, p. 10. La suite du texte vise clairement Malebranche, dont Buffier sait que Berkeley découle. Cf. *op. cit.*, Iʳᵉ partie, ch. II, n. 15; p. 9.

[3] BUFFIER, *op. cit.*, Iʳᵉ partie, ch. V, n. 34; p. 15. — Th. Reid a connu Buffier, qu'il cite à plusieurs reprises, notamment dans ses *Essais sur les facultés intellectuelles*, Essai II, ch. X, et Essai VI, ch. II. Dans ce dernier texte Reid parle de l'écrit de Buffier comme « publié il y a cinquante ans ». Ce premier exemple de vérités du sens commun cité par Buffier est devenu, chez Reid, le Vᵉ principe du sens commun, dans l'ordre des vérités contingentes : « *Cinquième principe.* Les objets que nous percevons par le ministère des sens existent réellement, et ils sont tels que nous les percevons ». *Op. cit.*, Essai VI, ch. V; t. V, p. 106.

non sans la modifier, pour en faire le fondement
d'une apologétique de la religion chrétienne. Le
danger était manifeste. Puisque le sens commun
était conçu comme une sorte de sens du vrai, à
la fois infaillible et injustifiable, l'irrationalisme
devenait la base même de tout christianisme qui
prétendait s'y appuyer. Les théologiens et philosophes chrétiens entreprirent alors de faire ce
qu'ils ont si souvent essayé : bloquer l'expansion
d'une idée malsaine en la ramenant à une doctrine acceptable et déjà reçue. Puisque le Sens
commun semblait à tant d'esprits troublés un
remède efficace contre le scepticisme, pourquoi
ne pas chercher dans la philosophie tradition-
nelle de l'École les éléments d'une doctrine saine
du sens commun?

Les tentatives de ce genre ne vont pas sans
risques, et bien que l'histoire de celle-là n'ait
pas encore été écrite[1], on peut discerner sans
trop de peine, avec la loi interne qui a présidé

[1] Ce ne serait pourtant pas entièrement inutile. Une telle
histoire devrait tenir compte non seulement de l'œuvre de
Liberatore, dont nous analyserons la position, mais aussi de
Sanseverino, *Institutiones seu elementa philosophiae christianae
cum antiqua et nova comparatae*, dont le quatrième volume
(Theologia naturalis) a paru en 1870. Cf. sur le sens commun,
dans l'édition de Signoriello, Naples, 1885; t. I, pp. 626-630. —
T. M. Zigliara, *Summa philosophica in usum scholarium*,
Romae, 1876. Cf. 8e édit., Lyon et Paris, 1891, t. I, pp. 257-259,
et pp. 277-281. Renvoie (p. 279) à Sanseverino, *I principali
sistemi della Filosofia sul Criterio*, cap. III, § 2. — On remarquera
l'effort qu'ont fait ces auteurs pour éliminer de leur notion
du sens commun tout ce que celle de Reid impliquait d'irrationalisme. L'exemple de Reid semble les avoir surtout invités
à faire au sens commun, tel que l'entendaient Cicéron et Sénèque,
une place plus importante et plus explicitement définie que celle
qu'elle avait dans la scolastique classique.

à son évolution, les difficultés propres qu'elle a
rencontrées sur sa route. A première vue, il n'y
avait rien d'impossible à introduire dans l'économie du thomisme traditionnel une doctrine du
sens commun, mais l'entreprise devait s'avérer
beaucoup plus complexe qu'on ne pouvait l'imaginer d'abord. En premier lieu, on ne trouvait
rien chez saint Thomas qui s'appelât *sens commun*, sauf une thèse psychologique sans aucun
rapport avec ce que l'on voulait désigner de ce
nom. Dans son commentaire sur le *De Anima*
d'Aristote, saint Thomas définit le sens commun
selon la lettre du péripatétisme le plus strict :
*sensus enim communis est quaedam potentia, ad
quam terminantur immutationes omnium sensuum*[1].
Quatre siècles plus tard, Bossuet restait encore
fidèle à cette définition : « Cette faculté de l'âme
qui réunit les sensations..., en tant qu'elle ne
fait qu'un seul objet de tout ce qui frappe
ensemble nos sens, est appelée le sens commun;
terme qui se transporte aux opérations de l'esprit, mais dont la propre signification est celle
que nous venons de marquer[2] ». A vrai dire,
il n'y avait pas eu transfert de terme; il se trouvait simplement que *sensus* signifiant à la fois
« sens » et « sentiment », il était impossible de
traduire κοινὴ αἴσθησις autrement que par *sensus
communis* et « sens commun », de même qu'il était
impossible de traduire autrement que par « sens

---

[1] S. Thomas d'Aquin, *De anima*, lib. II, lect. 13; éd. Pirotta,
n. 390. Cf. lib. III, lect. 3; éd. cit., n. 610-613.
[2] Bossuet, *Traité de la connaissance de Dieu et de soi-même*,
ch. i, n. 4; éd. L. Rossigneux, Paris, Lecoffre, 1900, p. 46.

commun » le *sensus communis* de Cicéron et de
Sénèque. Il y avait là simple équivoque, et
Bossuet, qui connaît les deux sens, n'hésite pas
à maintenir que le sens propre est le premier.

Cette équivoque n'en était pas moins une invitation à chercher un passage entre la signification
psychologique et aristotélicienne de l'expression
et sa signification cicéronienne et rhétorique. On
le trouva dans les κοιναὶ δόξαι d'Aristote : « J'appelle principes de la démonstration », dit Aristote,
« les opinions communes [τὰς κοινὰς δόξας] qui servent de base à toute démonstration, telles que
celle-ci : *toute chose doit nécessairement être affirmée
ou niée*, et *il est impossible qu'une chose soit et
ne soit pas en même temps*, ainsi que toutes autres
prémisses de ce genre [1] ». Le sens de ce texte est
clair. Comme le fait observer saint Thomas,
Aristote y dit simplement que toute démonstration présuppose des principes évidents, donc eux-
mêmes indémontrables. Ces *dignitates*, ou axiomes,
sont naturellement et immédiatement connus de
tous les hommes, d'où leur nom de κοιναὶ δόξαι :
*et quia talis cognitio principiorum inest nobis
statim a natura, concludit (Aristoteles), quod
omnes artes et scientiae, quae sunt de quibusdam
aliis cognitionibus, utuntur praedictis principiis
tanquam naturaliter notis* [2]. C'est l'ensemble des

---

[1] ARISTOTE, *Métaph.*, B, 2, 996 b 27-31.
[2] Saint THOMAS D'AQUIN, *In Métaph.*, lib. III, lect. 5; éd.
Cathala, n. 389. Il faut ajouter à ces principes leurs implications
évidentes. Ainsi « communis conceptio dicitur illa cujus oppo-
situm contradictionem includit; sicut omne totum est majus
sua parte... »; mais aussi : « naturam animae rationalis non esse
corruptibilem, haec est communis animi conceptio ». *De potentia,*

« conceptions communes » entendues à la manière thomiste que les adversaires de Lamennais décidèrent de nommer le « sens commun ».

Ainsi entendu, le sens commun des néoscolastiques du début du XIXe siècle devenait quelque chose de tout autre que celui de Lamennais et de Reid. Liberatore était un trop bon thomiste pour ne pas avoir claire conscience de

qu. V, art. 3, ad 7ᵐ. La conception thomiste des *communes conceptiones* est donc souple. On y distingue d'abord, avec Boèce (*De hebdomadibus, init.*), deux modes de notions communes : celles qui sont connues de tous et celles qui ne sont connues que des savants. Ensuite, chaque cas devra être examiné en particulier. Tout ce dont le contraire implique contradiction est *res per se nota* et *communis conceptio* soit pour tous, soit pour les savants, mais il y a des degrés de certitude pour les vérités de ce genre. Par exemple : *ex nihilo nihil fit* était considéré par Aristote comme une *communis conceptio*; c'en est une, mais seulement dans l'ordre des causes secondes et réserve faite du cas de la création (*Sum. theol.*, I, 45, 2 ad 1ᵐ. — *De Potentia*, III, ı, ad 1ᵐ). L'existence de Dieu n'est pas *res per se nota*, et saint Thomas n'affirme ni ne nie qu'elle soit une *communis conceptio* au sens technique de cette expression; il dit seulement que nous en avons une connaissance innée, en ce sens que tous les hommes ont naturellement de quoi l'acquérir (*De veritate*, X, 12, Resp. et ad 1ᵐ). Si l'on applique à ce cas la définition thomiste stricte du commentaire sur le *De hebdomadibus*, cap. ı : « communis animi conceptio, vel principium per se notum, (est) aliqua propositio ex hoc quod praedicatum est de ratione subjecti » (éd. Mandonnet, t. I, p. 170), il semble difficile que l'existence de Dieu soit, en ce sens, une *communis conceptio* du moins *quoad nos*. Dans le cas de la loi naturelle, saint Thomas explique en grand détail la différence entre la communauté des principes et de leurs conclusions selon qu'il s'agit de l'ordre spéculatif ou de l'ordre pratique (*Sum. theol.*, Iª IIᵃᵉ, 94, 4, Resp.). On voit là clairement que, une fois sorti de l'ordre des principes, l'état de *communis conceptio* est un état variable selon le degré d'éloignement des principes et l'aptitude des raisons individuelles à y rattacher leurs conséquences. En aucun cas connu de nous saint Thomas ne considère ces conceptions communes comme l'œuvre d'un *sensus communis* quelconque.

la nature propre de l'œuvre qu'il accomplissait,
et l'on peut ajouter que Sanseverino et Zigliara
ne lui furent pas inférieurs sur ce point. Pour
eux, le sens commun tel que l'entendent leurs
adversaires reste une *opinatio quaedam rejicienda* [1]
qui se confond avec la doctrine de Reid. Ils
rejettent donc cette faculté naturelle mal définie,
dont tout ce qu'on sait est qu'elle promulgue
infailliblement des jugements vrais, bien que ces
jugements ne soient ni immédiatement évidents
par soi, ni fondés sur l'expérience, ni conclus par
voie de raisonnement. Au fond, l'apologétique
du sens commun revient à restaurer le reidia-
nisme — *Reidianum commentum restaurat* —
c'est-à-dire à faire reposer tout l'édifice de la
connaissance vraie sur des jugements instinctifs,
donc irrationnels. Rien, dit Liberatore, n'est plus
pernicieux qu'une telle doctrine, rien non plus
n'est plus contraire à la nature de la raison; car
si la pensée ne peut refuser ces jugements, bien
qu'ils ne soient ni démontrés ni évidents, il lui
faut donc se soumettre à des certitudes qui sont
à la fois conformes à la raison, puisqu'elle les
accepte, et irrationnelles, puisque rien ne les
justifie. Cela est contradictoire et impossible. En
fait, imaginé comme un remède au scepticisme,
le sens commun ainsi conçu s'y établit à demeure;
il échoue sur l'écueil même qu'il devait nous faire
éviter.

---

[1] Matt. LIBERATORE, *Institutiones philosophicae;* prima editio
novae formae, Log. Pars II, cap. III, *De veritatis criterio*, art.
6; Prato, 1881, t. I, p. 163-164. Cf. ZIGLIARA, *Summa philosophica,* ed. 8ª, t. I, p. 284-286.

Rien de mieux jusqu'à présent; mais il est plus difficile pour un thomiste de dire ce qu'est le sens commun que de dire ce qu'il n'est pas. Une fois réduit aux *communes sententias* de saint Thomas, il soulève inévitablement deux problèmes : celui de sa nature et celui de son contenu. D'abord, sa nature. Est-ce une faculté nouvelle attribuable à la raison? Ou est-ce la raison elle-même dans son exercice naturel et spontané? Tant que l'on se contente, comme saint Thomas, de parler de *communes conceptiones animi*, le problème ne se pose pas, puisque tout se réduit alors à certains jugements formulés par la raison à la lumière du principe de contradiction; mais le problème se pose au contraire dès qu'on attribue à un *sensus communis* quelconque l'ensemble de ces jugements. De là l'hésitation marquée qui s'exprime dans la définition du sens commun par Liberatore : « *vis illa* a natura rationali proveniens, *seu ipsa ratio naturalis*, prout sponte sua in ejusmodi judicia prorumpit, appellatur sensus·communis [1] ». Rien de mieux balancé qu'une telle formule, mais on aimerait savoir si le nouveau sens commun est une faculté de la raison, ou s'il n'est que la raison elle-même? Liberatore se garde bien de nous le dire, car si le sens commun n'était pas la raison même, on retomberait dans l'irrationalisme de Reid; mais s'il n'était que la raison, il ne servirait aucunement à remplacer cet instinct spécifique du vrai que l'on voulait.opposer au scepticisme. A moins

LIBERATORE, *loc. cit.*, t. I, p. 162.

de n'en faire qu'un mot, il fallait bien en faire
quelque chose, et même quelque chose d'adapté
à la fonction définie dont on voulait le charger.

L'indécision de Liberatore se comprend mieux
encore, si l'on se demande quel pouvait être le
contenu du nouveau sens commun. En bon
thomiste, il commence par définir les vérités de
sens commun : *judicia haec quae Aristoteles communes sententias appellavit.* C'était à la fois
sage et légitime; mais une telle décision l'obli-
geait à limiter la liste des vérités de sens commun
aux *communes conceptiones animi* de saint Thomas, c'est-à-dire aux évidences connues par soi
dans la lumière du principe de contradiction
et à leurs applications immédiates. Rien assurément ne l'empêchait de le faire, et tout même
l'y invitait; mais, s'il l'eût fait, il lui fût devenu
aussi inutile que pour saint Thomas lui-même
de poser un Sens commun. Réduit à l'évidence
des principes, le *sensus communis* n'aurait pu lui
rendre que bien peu de services pour consolider
les vérités que Liberatore lui demandait de garantir. Celles auxquelles il pensait, étaient en effet
celles que Cicéron, Sénèque et Plutarque avaient
chargé le sens commun de justifier, plutôt que les
κοιναὶ δόξαι d'Aristote et de saint Thomas d'Aquin.
Bref, il s'agissait, pour Liberatore, d'étendre au
consentement universel, ou *sensus communis*, de
la rhétorique, l'évidence des *communes conceptiones* de la métaphysique; il fallait élargir ces
dernières jusqu'à englober les premières et consolider les premières en les assimilant aux dernières.
Je ne veux pas dire que ce fût chose impossible,

mais ce n'était pas chose facile et il semble bien que Liberatore ait finalement échoué dans son entreprise.

Considérons en effet la liste des exemples qu'il nous donne de vérités du sens commun. Avec des *communes conceptiones* du meilleur aloi, on y rencontre d'autres beaucoup plus douteuses : les corps existent; Dieu existe; l'âme humaine survit au corps; les bons seront récompensés et les méchants punis dans une vie future, ou autres du même genre [1]. Liberatore voit là autant de conclusions de la raison naturelle, qui ne se distinguent de celles de la philosophie que par deux caractères : ne pas être le propre de tel ou tel individu, mais appartenir au genre humain tout entier; être des conclusions en quelque sorte spontanées, qui ne doivent rien à l'art, mais jaillissent spontanément de l'intellect, *sine artis praesidio et sola vi naturalis ingenii* [2]. Je me garderai bien de nier l'existence ou la généralité de ce groupe de convictions spontanées, ni de contester soit la valeur rhétorique de persuasion qui s'y rattache, soit l'importance considérable du problème que leur existence soulève pour le philosophe [3]. Les caractères généraux des certi-

---

[1] LIBERATORE, *loc. cit.*, t. I, p. 162.

[2] LIBERATORE, *loc. cit.*, t. I, p. 164.

[3] L'effort de beaucoup le plus soutenu pour intégrer à la tradition thomiste une doctrine du sens commun est celui du P. Réginald GARRIGOU-LAGRANGE, *Le sens commun, la philosophie de l'être et les formules dogmatiques*, 3e édit. Paris, Nouvelle Librairie Nationale, 1922; pp. 84-89. Pour lui, le sens commun est la philosophie même, la *perennis quaedam philosophia* dont parle Leibniz, mais à l'état rudimentaire (p. 84). Il propose donc une théorie « conceptualiste-réaliste du sens commun »

tudes de ce genre sont bien leur universalité, au
moins relative, leur stabilité et leur constance [1].

qui, paraît-il, peut se dégager aisément des écrits d'Aristote
et des grands scolastiques » (p. 85). Bien entendu, le P. Garrigou-
Lagrange ne trouve pas un seul texte d'Aristote ni des grands
scolastiques à citer en faveur du sens commun. Lorsqu'il dit
qu'on le « retrouve » chez Fénelon, il oublie de dire où on l'a
déjà trouvé avant comme doctrine philosophique. A partir
de Fénelon, il ne peut plus citer — comme tout le monde —
que Reid, puis Jouffroy, ensuite de quoi il conclut tranquille-
ment : « Les scolastiques ne s'expriment pas autrement » (p. 87).
Qui sont ici les scolastiques? Le seul qu'il cite est le cardinal
Zigliara (*Summa philosophica*, I, p. 257). La même question
revient donc une fois de plus. De même qu'on peut se demander
pourquoi, si leur réalisme a toujours été critique, les scolastiques
ne s'en sont aperçus qu'après avoir lu Kant, on se demande
pourquoi, si leur philosophie a toujours été *la* philosophie du
sens commun, les scolastiques ne s'en sont aperçus qu'après
avoir lu Reid? Si « sens commun » désigne vraiment une faculté
distincte, il faut nous dire où on la situe dans la description
thomiste du sujet connaissant; si on en fait seulement « une qualité *commune* à tous les hommes, égale chez tous, à peu près
invariable » (p. 88), le sens commun va se dissocier en ses éléments réels : principes premiers de l'intellect et jugements
spontanés de la raison spéculative ou pratique d'une part,
qui s'expliquent suffisamment par l'intellect et la raison, sans
qu'il soit nécessaire de recourir à autre chose; opinions confuses
et préjugés sociaux d'autre part, que la réflexion rationnelle
éliminera comme autant de pseudo-certitudes et qu'aucun
« sens commun » n'a droit de maintenir contre elle. La « qualité »
particulière que l'on invoque pour expliquer la généralité des
données de sens commun ne se distingue en rien de l'universalité
essentielle de l'intelligence et de la raison. On n'introduira donc
pas de « sens commun » dans la synthèse thomiste sans y introduire une dose quelconque, fut-elle infinitésimale, de Reid,
ni par conséquent sans la détruire. A moins, bien entendu,
qu'on ne l'y introduise que comme une formule vide de sens,
pour habiller la *perennis philosophia* à la mode du jour qui passe,
ce qui n'offre aucun intérêt philosophique. Lorsque Bergson
définit la philosophie de Platon et d'Aristote comme « la métaphysique naturelle de l'intelligence humaine », il parle en vrai
philosophe; c'est là une formule autrement profonde que d'en
faire la métaphysique naturelle du « sens commun ».

[1] LIBERATORE, *loc. cit.*, t. I, p. 162.

On ne songe même pas à nier que, selon l'heureuse expression de Sénèque, la *présomption* de tous les hommes ne soit un indice, un *argument* de vérité[1]. La vraie difficulté commence lorsqu'il s'agit d'assimiler une telle présomption aux « opinions communes » de la scolastique classique et de leur reconnaître la même nature ou la même valeur de vérité.

Si l'on définit les certitudes du sens commun, comme le fait Liberatore, *judicia haec quae Aristoteles communes sententias appellavit*, il faut conserver à cette formule le sens strict que lui donne Aristote. Si on le fait, on devra aussitôt constater au moins une exception importante à la croyance universelle en l'immortalité individuelle de l'âme, ainsi qu'en une vie future de récompenses et de châtiments : celle d'Aristote lui-même. Bien qu'il connût ces doctrines par son maître Platon, Aristote ne nous en a rien dit, et rien ne nous autorise à penser qu'il les eût comptées parmi « ces opinions communes qui servent de base à toute démonstration ». Entre les opinions communes d'Aristote, telles que : *toute chose doit nécessairement être affirmée ou niée*, ou *il est impossible qu'une chose soit et ne soit pas en même temps*, et cette autre proposition : *les bons seront récompensés et les méchants punis dans la vie future*, une assimilation pure et simple semble impossible. Certes, toutes sont rationnelles, mais elles ne le sont pas de la même façon et il est arbitraire de ranger sous un même « sens

[1] SÉNÈQUE, *ad Lucil.*, epist. 117; cité par LIBERATORE, *loc. cit.*, p. 162, note 1.

commun » l'intelligence des principes, évidence qui
règle toute certitude, et les anticipations obscures
d'une raison qui saisit la vérité sans encore la
voir. Mais il y a plus. Si les certitudes du sens
commun s'identifient aux *communes conceptiones*
de saint Thomas, pouvons-nous considérer *Deus
existit* comme l'une d'entre elles? C'est au moins
une sérieuse difficulté. Dans son commentaire du
De Hebdomadibus, saint Thomas définit à la fois
ce qu'il nomme « communis animi conceptio vel
principium per se notum » comme une proposition où « praedicatum est de ratione subjecti ».
Or, chacun sait que, selon saint Thomas, l'existence de Dieu n'est pas une proposition connue
par soi *quoad nos*. Si toute conception commune
est un principe connu par soi ou peut immédiatement s'y réduire, l'existence de Dieu ne peut
être une conception commune. Si donc on identifie les vérités de sens commun aux conceptions
communes de saint Thomas, *Deus existit* n'est
pas une vérité de sens commun. Conclusion que,
s'il vivait encore parmi nous, saint Thomas
rejetterait probablement, mais non sans préciser
que le *sensus communis* de Cicéron et de Sénèque
ne saurait être assimilé aux notions communes
telles qu'Aristote et lui-même les concevaient.
Tout ce qui est conception commune appartient
au sens commun, mais tout ce qui est de sens
commun n'est pas conception commune. Tel que
le concevait Liberatore, le sens commun était
donc une notion équivoque, dont la confusion
intrinsèque préparait à ses successeurs bien des
difficultés.

Comme tant d'autres avant et après lui, Liberatore s'était laissé séduire par le secours apparent que semblent offrir à la métaphysique classique ses produits de décomposition. Les opérations de ce genre se soldent toujours par un
échec. Pour conférer au sens commun des orateurs
et des moralistes une valeur technique en philosophie, il fallait, ou bien accepter le sens commun
de Reid comme une sorte d'instinct injustifié et
injustifiable, ce qui ruinait le thomisme auquel
on voulait l'agréger ou bien le réduire à l'intellect et à la raison thomistes, ce qui reve-
nait à le supprimer comme faculté de connaître
spécifiquement distincte. Bref, sur le plan de
la connaissance philosophique, il n'y avait
pas de moyen terme entre Reid et saint Thomas.

Pour avoir cru qu'il y en avait un, et l'avoir
fait croire, Liberatore et ses successeurs ont
introduit dans la structure de l'épistémologie
thomiste un corps étranger dont la présence s'y
fait encore sentir comme un danger. Assimiler
les certitudes obscures du sens commun aux
notions communes de la raison et leur conférer
du même coup l'évidence de ces dernières, c'était
s'accorder en philosophie les facilités les plus
larges, mais aussi les plus déplorables. A partir
de ce moment, bien des auteurs de traités de
philosophie allaient céder à la tentation de
défendre les vérités fondamentales du thomisme
en écrasant ses adversaires sous le poids d'un
sens commun qui n'a qu'à s'affirmer pour se
justifier. S'agit-il de l'existence du monde exté-

rieur? Il existe des corps, répond le sens commun
de Liberatore, et voilà la cause entendue, comme
si Malebranche n'avait pas jugé impossible la
démonstration de leur existence, et Berkeley nié
cette existence au nom du sens commun lui-
même. L'inconvénient le plus grave d'une pareille
méthode, c'est qu'en appelant ce faux ami au
secours de la certitude métaphysique, on donne
à entendre qu'elle ne saurait se passer de lui.
Le sens commun est un allié faible, c'est-à-dire
une cause de faiblesse pour la philosophie qui
prétend se fonder sur lui, et l'on voit bien qu'il
en est une aux impossibilités où s'engagent les
doctrines qui comptent sur lui pour prouver que
le monde extérieur existe. On commence par
l'affirmer comme une certitude de sens commun,
puis on entreprend de justifier cette certitude
comme telle et, sans y prendre garde, on se trouve
bientôt avoir donné gain de cause à l'idéalisme
même que l'on entendait réfuter.

La critériologie de Séb. Reinstadler, dont
le manuel a représenté le plus pur thomisme
pour des générations de professeurs et d'étu-
diants [1], est un témoin remarquable des ravages
causés par cette méthode. Dès que l'on en arrive
à la simple mention du problème posé par l'idéalisme, nul doute ne subsiste sur le sort que cet
auteur lui réserve ni sur l'aisance avec laquelle
il en va triompher. Car il le définit comme une

---

[1] Seb. Reinstadler, *Elementa philosophiae scholasticae*,
edit. altera, Friburgi Brisgoviae, 1904. La description du sens
commun, comme *testimonium doctrinale* de la vérité, se trouve
dans sa *Criteriologia*, t. I, des *Elementa*, pp. 198-199.

erreur, ce qui facilite grandement les choses.
« L'idéalisme », écrit Reinstadler, « est l'erreur
de ceux qui, rejetant la valeur des sens et contre
le sens commun de tous, nient ou révoquent
en doute l'existence des corps[1]. » La réfutation
des thèses de Berkeley et de Fichte n'offre
aucune difficulté pour ce champion du sens commun ; car elles le contredisent, donc il les réfute :
« In idealismo refutando non est cur tempus
teramus : ejus enim doctrina sensui communi
tam aperte contradicit, ut nemo sit, qui absur-
ditates ejus facile non detegat[2] ». Contre Fichte,
il suffira d'invoquer le témoignage du sens intime,
qui nous assure du caractère passif de nos
sensations ; contre Berkeley, on répondra que
nous constatons souvent que les sensations nous
viennent par nos organes et que nous n'avons
aucunement conscience qu'elles soient immédiatement produites en nous par Dieu. Les deux
arguments porteraient si Fichte et Berkeley
n'avaient déjà concédé l'un et l'autre, car Fichte
s'est longuement employé à chercher dans le
moi la source des résistances qu'il se crée, et
Berkeley a pris soin d'établir que nos organes
sont, eux aussi, des idées. Mais la question n'est
pas là, car si l'on voulait argumenter, il faudrait
se demander d'abord pourquoi, le sens commun
étant universel par définition, Berkeley et Fichte
furent les deux seuls hommes à en être dépourvus ?
Après quoi il faudrait encore expliquer pourquoi
leur manque de sens commun donne tant à

réfléchir à de si nombreux philosophes? Mais le
plus remarquable est sans doute que, malgré
la manière désinvolte dont il se tire d'affaire, le
sens commun de S. Reinstadler lui-même ne
sort peut-être pas tout à fait indemne de l'opération.

Car lui aussi subit la loi qui veut que toute
réfutation d'une erreur empruntée aux conséquences qu'elle engendre, ramène inévitablement à l'erreur même dont ces conséquences
découlent. On le voit clairement aux raisons
alléguées par Reinstadler contre l'idéalisme, qui,
soi-disant empruntées au sens commun le plus
pur, ne font en réalité que reproduire les
arguments par lesquels l'idéalisme cartésien tente
d'éviter ses propres conséquences : « Experimur
enim nos sensationes saepe habere, quando
nolumus, non habere e contra saepe, quando
maxime eas volumus ». C'est l'une des maîtresses
pièces de la démonstration cartésienne du monde
extérieur, et elle jouit d'une popularité remarquable dans la néoscolastique contemporaine[1].
Pourtant, il est clair que l'argument ne prouve
rien à lui seul, puisque tout se passerait exactement de la même manière si, comme l'a soutenu

---

[1] On trouvera une comparaison détaillée entre les textes de
Descartes et ceux du cardinal Mercier dans *Le réalisme méthodique*, pp. 18-32. L'argument semble avoir été popularisé dans
les milieux scolastiques modernes par J. BALMÈS, *La philosophie
fondamentale*, livre II, ch. v. Balmès s'est d'ailleurs méfié des
conséquences possibles de son attitude, comme on verra au début
de son chap. vi. — Par contre, l'argument est repris sans hésitation par J. S. HICKEY, *Summula philosophiae scholasticae;*
édit. 4ª, Dublin, 1915; vol. I, p. 212. — Pour le texte de Reinstadler que nous venons de citer, voir note suivante.

Berkeley, nos idées étaient le langage que parle à l'homme l'Auteur de la nature. Dès avant Berkeley, Malebranche avait déjà noté que, si l'on admet l'occasionnalisme et la vision en Dieu qui en résulte, l'existence ou la non-existence du monde extérieur ne peut rien changer au contenu de notre connaissance; si elles nous viennent de Dieu, nos sensations sont tout aussi indépendantes de notre volonté que si elles nous viennent d'un monde des corps. C'est pourquoi, prévoyant la possibilité d'un idéalisme absolu, Descartes avait complété sa preuve, en ajoutant qu'un Dieu qui causerait lui-même nos sensations tout en nous laissant croire qu'elles sont causées en nous par un monde d'objets étendus, serait un Dieu trompeur, donc imparfait, ce qui est une notion contradictoire et impossible.

On ne saurait assez admirer la docilité avec laquelle S. Reinstadler, et d'autres scolastiques, suivent Descartes dans cette voie sans issue pour lui et où eux-mêmes n'ont pas à s'engager : « De actione Dei immediata in nobis nihil omnino conscientia refert », et « Repugnat enim Deum, veritatis amantem et infinite bonum, creaturam suam rationalem in errore invincibili his in terris perpetuo velle detinere [1] ». Quelle que soit la valeur intrinsèque de cet argument, on conçoit que Descartes en ait usé, car il avait prouvé l'existence de Dieu avant celle du monde exté-

---

[1] Seb. REINSTADLER, *op. cit.*, pp. 174-175. L'auteur renvoie sur ce point, pour plus ample informé, à FRICK, *Logica* [3], p. 190 suiv., et à MERCIER, *Critériologie générale* [4], p. 352 suiv. — Cf. J. S. HICKEY, *Summula philosophiae scholasticae; loc. cit.*

rieur : Dieu peut garantir le monde extérieur
dans une philosophie de méthode idéaliste; mais
il est surprenant qu'un réaliste scolastique, pour
qui l'existence de Dieu se prouve à partir du
monde extérieur, entreprenne de s'appuyer à la
fois sur l'existence des choses pour prouver celle
de Dieu, et sur l'existence de Dieu pour prouver
celle des choses. Une telle attitude n'est pas
même un éclectisme, c'est un chaos mental absolu.

Comment ne pas voir en effet à quoi pareille
méthode nous engage? Si c'est vraiment la
véracité divine qui prouve la véracité de nos sensations, c'est donc que l'existence du monde
extérieur n'est pas certaine par elle-même et
qu'elle ne peut être garantie que par l'existence de
Dieu. Mais alors comment prouvera-t-on l'existence de Dieu par celle du monde extérieur, puisque, avant d'être sûr qu'il y a un monde extérieur, il faut être sûr que Dieu existe? Impossible
de sortir de là. Qui met un doigt dans l'engrenage
cartésien doit s'attendre à y passer tout entier.
Au fond, en posant le problème de l'existence du
monde extérieur sur le plan du sens commun, c'est
dès le point de départ qu'on acceptait le cartésianisme. Descartes n'a jamais nié que ce ne fût là
une vérité de sens commun; tout au contraire, il
l'a expressément affirmé en posant cette vérité
comme une certitude morale qui suffit largement
aux exigences de la vie et que seul un doute hyper-
bolique peut venir mettre en question. Le problème demeurait pour lui de tranformer cette
certitude de sens commun en une certitude métaphysique, et c'est pourquoi, contraint par sa

méthode à nier qu'elle fût évidente, il a dû entreprendre de la démontrer. Ramener le réalisme au
niveau du sens commun. c'est donc le réduire à
l'état de connaissance infraphilosophique, ce
qu'avait d'abord fait Descartes; ensuite de quoi
il faut bien emprunter les arguments dont il use
pour sortir de l'impasse où l'on s'est engagé avec
lui. Rien, au contraire, n'interdisait au réaliste
Reinstadler de tenir l'existence du monde extérieur pour évidente, si bien qu'en cette affaire
Descartes se trompe, mais il se trompe en philosophe et coule sur sa propre galère, au lieu que
Reinstadler coule avec lui, mais sur une galère qui
n'est pas la sienne et sur laquelle il n'avait même
pas le droit de monter.

On s'étonnera peut-être que nous attachions
tant d'importance à des tentatives que leur nature
contradictoire voue si visiblement à l'insuccès.
C'est que, dénuées de valeur philosophique, elles
sont pourtant responsables, dans une certaine
mesure, des controverses contemporaines sur la
possibilité du réalisme critique. Par le mépris
même qu'il inspire aux meilleurs interprètes du
réalisme aristotélicien, le réalisme du sens commun
les a jetés dans une direction tout opposée, ou
plutôt, car ils ne se trompent pas sur les principes,
l'horreur de cette pseudo-philosophie les a induits
à se réclamer de pseudo-titres dont ils n'ont
aucunement besoin [1]. S'il existe un réalisme naïf,

---

[1] Cette préoccupation se fait jour, par exemple, chez
Mgr L. Noel, *L'épistémologie thomiste*, dans *Acta secundi
congressus thomistici internationalis*, Taurini-Romae, Marietti,
1937. Mgr L. Noël s'y oppose à certains adversaires, qu'il ne

c'est bien celui du sens commun. Par réaction
contre lui, ces philosophes affirment qu'ils entendent adopter une attitude philosophique en ces
matières. Leur réalisme se pose donc en *réalisme
critique* contre les facilités en effet naïves des
réalismes du sens commun [1]. C'est tout ce que

nomme pas, mais dont il nous dit que ces « excellents esprits »
contestent « l'opportunité et la légitimité même de l'épistémologie », entreprise à leurs yeux inutile, étrangère à la pensée
d'Aristote et de saint Thomas, et même « nécessairement rui-
neuse » (p. 32). J'avoue ne pas savoir qui a soutenu pareilles
choses et je regrette d'ignorer qui a jamais dit qu'il faille « rejeter
toute épistémologie, se débarrasser du problème de la connaissance qui n'est qu'un faux problème, renoncer à établir entre
le point de vue de la scolastique et celui de la pensée moderne
un rapprochement qui ne peut engendrer que l'équivoque,
marquer plutôt un « bon désaccord » d'où jaillira la clarté »
(p. 32). Pourtant, ayant naguère usé de l'expression « bon
désaccord » (*Le réalisme méthodique*, p. 82), je me demande avec
quelque inquiétude si ce n'est pas de moi qu'il est ici question?
La moindre référence aux auteurs responsables de ces thèses
m'aurait rassuré. Quoi qu'il en soit de ce point, je me permets
de rappeler que l'opposition entre Mgr Noël et moi ne tient
aucunement a ce que je nie la légitimité ou la nécessité de l'épistémologie, mais bien à ce que je conteste la méthode suivie par
la sienne. Je conteste l'antériorité de l'épistémologie par rapport
à la philosophie première, ou métaphysique (*op. cit.*, p. 14),
au lieu que Mgr Noël affirme que « la théorie ontologique de
la connaissance est logiquement postérieure à l'épistémologie »
(*art. cit.*, p. 38. Cf. p. 45, art. 1). Ce que je demande, c'est une
épistémologie réaliste intérieure à l'ontologie. Et si Mgr L. Noël
objecte : « on voit moins bien ce qu'on met à la place de l'épistémologie, car il faut bien qu'on ait quelque chose à opposer à
l'idéalisme » (p. 32), je répliquerai que l'opposition n'est nullement ici entre *épistémologie* et *réalisme*, mais entre *épistémologie
réaliste* et *épistémologie idéaliste*. Ce qu'il faut opposer à l'idéalisme, c'est le réalisme.

[1] « Le réalisme immédiat est inévitable, parce qu'il y a là
une évidence au delà de laquelle on ne peut aller. Cela ne signifie
pas, d'ailleurs, que le réalisme thomiste soit un réalisme naïf;
au contraire, c'est un réalisme parfaitement conscient des raisons
qui le fondent, et c'est là sans doute un motif suffisant pour

les plus clairvoyants d'entre eux veulent dire [1],
et l'on consent qu'ils le disent, mais il vaudrait
mieux le dire autrement.

Cette manière de s'exprimer suppose en effet

l'appeler *critique* ». R. JOLIVET, *Le Thomisme et la critique de
la connaissance*, Desclée de Brouwer, Paris, 1933, p. 111. Ainsi
le réalisme immédiat est une *évidence fondée sur des raisons*,
donc une *évidence immédiate critique*. Même si l'on se résigne à
cette terminologie aberrante, il reste à se demander pourquoi
les raisons qui fondent cette évidence s'expriment de préférence
en termes de *Doute critique* (p. 117), de *Cogito réaliste* (p. 91) et
de *Critique réaliste* (p. 30)? Il paraît que le nom de *réalisme
critique* est donné « communément au thomisme » (p. 29). Il
serait intéressant de se demander depuis quand on le lui donne?
L'expression remonte-t-elle au delà de Kant? Ou dirons-nous
que le thomisme a fait de la critique de la Connaissance pendant
des siècles, comme M. Jourdain faisait de la prose, sans le savoir?
Pour éviter de faire du thomisme un réalisme naïf, on en ferait
ainsi un criticisme naïf, qui ne serait devenu conscient que de
nos jours en revêtant une livrée kantienne. Il est douteux que
ce soit un progrès.

[1] C'est ce que suggèrent les lignes suivantes de Mgr L. Noël :
« Ils (les Anciens) ne se bornaient pas à affirmer comme un
postulat le réalisme du sens commun, ils avaient réfléchi, encore
que sommairement, à ses fondements... » *Art. cit.*, p. 32. Sur
quoi l'on observera, 1º que poser l'existence du monde extérieur
comme une évidence pour l'homme n'est aucunement la poser
comme un postulat. Un postulat n'est pas une évidence; on ne
postule pas les évidences, on les voit; 2º que cette formule
identifie simplement les notions de connaissance réfléchie
et de connaissance critique; mais alors, *réalisme critique* ne
signifie rien d'autre que *réalisme philosophique*, et puisqu'il est
entendu qu'on parle de philosophie, le mot *critique* n'ajoute
rien au mot *philosophie;* aucun sens distinct ne s'attache ici à
ce terme. La même remarque s'applique aux pages parfaites
consacrées par J. Maritain aux rapports de la philosophie et
du sens commun (*Éléments de philosophie*, 6ᵉ édit., Paris, 1921;
pp. 87-94). Je ne vois rien à y ajouter; mais il en résulte clairement que, pour J. Maritain, la connaissance philosophique
exige une *réflexion* sur le sens commun, et que ce retour
réfléchi sur les données du sens commun, ou leur étude scientifique, est à la fois ce qui en fait une Critique (p. 90; 3, *a.*
Cf. p. 91; *b*, 2) et ce qui en fait une philosophie. On comprend

qu'on puisse opposer *critique* à *naïf*, comme si
tout ce qui n'est pas naïf avait le droit de s'appeler
critique. A ce compte, toute philosophie étant
réflexive, toute philosophie serait critique par
définition. Assurément, si l'on y tient, cela peut se
dire, mais il n'est pas nécessaire de s'exprimer
ainsi et un tel langage entraîne bien des inconvénients. Ce n'est pas nécessaire, car s'il est vrai
que le mode de connaître propre au sens commun
soit d'ordre infraphilosophique, le réalisme naïf
ne relève pas encore de la philosophie. Il n'y a
donc pas lieu de s'exprimer comme si l'on devait
distinguer, à l'intérieur de la philosophie, le

dès lors l'insistance du même philosophe à maintenir ailleurs
l'expression de « réalisme critique » (*Les degrés du savoir*, Paris,
Desclée, 1932; pp. 137-158). J. Maritain conclut en se deman-
dant : « M. Gilson estimera-t-il après ces explications que ses
objections contre la possibilité d'une *critique* thomiste de la
connaissance n'étaient pas irréductibles, et que la notion d'un
réalisme *critique* n'est pas contradictoire comme celle d'un cercle
carré? (p. 156). A quoi je réponds que, si l'état de connaissance
critique est coessentiel à l'état de connaissance philosophique, un
philosophe qui défend une épistémologie quelconque, le fait en
philosophe critique, pourvu seulement qu'il le fasse en philosophe. D'où il suit que le mot *critique* ne désigne plus ici une
attitude philosophique distincte d'autres attitudes philosophiques également concevables; une philosophie critique n'est plus
un type distinct de philosophie; une théorie critique de la connaissance n'est plus une position philosophique de ce problème
distincte d'autres positions également philosophiques du même
problème; toutes les épistémologies philosophiques (à supposer
qu'il puisse en exister de non philosophiques) sont critiques par
définition. Il est donc vrai que, à l'intérieur de l'ordre philosophique, l'expression de *réalisme critique*, ou bien est dépourvue
de sens distinct (auquel cas elle ne saurait être contradictoire),
ou bien signifie cette manière définie de poser le problème, qui
consiste à mettre en doute que le réalisme soit, non certes un
postulat, mais une évidence immédiate. C'est pourquoi, et telle
est la thèse générale du présent ouvrage, dès que la notion de
réalisme critique assume un sens distinct, elle devient impossible.

réalisme naïf de celui qui ne l'est pas. S'il est naïf, le réalisme ne relève pas encore de la philosophie; s'il est déjà de la philosophie, ce réalisme n'est plus naïf. Pas plus que ne l'ont fait Aristote ni saint Thomas, nous n'avons à nous poser en réalistes critiques du seul fait que nous sommes réalistes à la manière réfléchie qui est celle de la philosophie même. Disons donc que nous tenons pour un réalisme philosophique, et même, puisque le problème ne se pose qu'entre philosophes, contentons-nous de l'appeler réalisme tout court.

Car non seulement l'expression de réalisme critique ne s'impose pas, mais elle offre de graves inconvénients. S'il ne s'agissait que de sauvegarder les droits de Kant à l'usage du mot *critique*, nous ne nous en mettrions guère en peine. Le mot appartient à la langue commune dans son sens usuel de « juger »; tout philosophe a donc droit d'en faire usage, et même d'en faire un usage philosophique, pourvu seulement qu'un sens distinct corresponde à l'usage qu'il en fait. C'est ce que fit Kant lorsqu'il décida de qualifier son idéalisme de *critique*, par opposition à toutes les autres formes d'idéalisme et par conséquent aussi de philosophie. Si quelque réaliste entend réclamer le même titre pour sa propre doctrine, ou bien il voudra dire par là que son réalisme est conscient de ses raisons, justifié par la réflexion et autre que la certitude spontanée du sens commun, auquel cas « réalisme critique » voudra dire simplement « réalisme philosophique », ou bien il donnera au mot « critique » un sens distinct de « philosophique », auquel cas l'expérience montre et le raisonnement prouve qu'il lui faudra justifier des conclusions réalistes à l'aide d'une méthode idéaliste. Si cette dernière opération est intrinsèquement possible, telle est la question que nous devons examiner.

CHAPITRE II

RÉALISME IMMÉDIAT
ET CRITIQUE DE LA CONNAISSANCE

Il est assez remarquable que l'un des réalismes qui revendiquent avec le plus d'énergie le titre de « critique » soit le réalisme immédiat. Si la compossibilité des notions de réalisme et de critique peut être établie dans ce cas extrême, on tiendra pour assuré qu'il n'existe entre elles aucune contradiction. La première question qui s'offre à notre examen est donc de savoir si un réalisme à la fois immédiat et critique est chose possible.

L'expression « réalisme immédiat » est claire en elle-même. Elle désigne tout réalisme pour qui l'acte de pensée peut appréhender immédiatement un réel indépendant de la pensée qui le représente et de l'acte de pensée qui l'appréhende[1]. Le sens du mot « critique » est beaucoup moins clair. C'est même sur lui, comme on le verra, que s'accumulent les obscurités. Pourtant, puisque le réalisme immédiat et critique nous en offre une

---

[1] Pour un exposé détaillé du réalisme immédiat, voir L. Noël, *Notes d'épistémologie thomiste*, Louvain-Paris, 1925. — Pour une discussion de cette doctrine, voir E. Gilson, *Le réalisme méthodique*, Téqui, Paris, s. d., pp. 32-44.

définition, tout nous invite à l'examiner d'abord.
Selon cette doctrine, l'objet propre d'une justification « critique » du réalisme serait de « satisfaire à l'exigence qui s'est prononcée dans la
pensée moderne à partir de Descartes et qui
cherche à rattacher la philosophie à un point
de départ incontestable [1] ». Le mot *prononcée*,
qui semble d'abord un peu gauche, n'est cependant pas placé là par hasard. On verra en effet
plus loin que, pour le tenant de cette forme de
réalisme immédiat, l'exigence critique remonte
bien plus haut que Descartes, mais qu'elle s'est
fortement accentuée depuis la publication du
Discours de la Méthode et qu'elle est aujourd'hui,
grâce à l'influence de Descartes, plus prononcée
que jamais.

Acceptons donc provisoirement cette définition; que veut-elle dire? Soutenir qu'une philosophie reçoit sa justification critique lorsqu'on
la rattache à un point de départ incontestable,
peut signifier deux choses différentes : ou bien
que cette justification critique fait partie intégrante de la constitution même de cette philoso-

---

[1] L. Noël, *La méthode du réalisme,* dans *Revue Néoscolastique de Philosophie,* 1931, p. 437. On trouvera au début de cet
article (p. 433, note) une bibliographie des études de Mgr Noël
sur la question. Ajouter à cette liste : L. Noël, *Réalisme méthodique ou réalisme critique?* dans *Bulletins de la classe des Lettres...
de l'Acad. royale de Belgique,* 5e série, t. XVII, (1931), pp. 111-129.
— *Les progrès de l'épistémologie thomiste,* dans *Revue Néoscolastique de philosophie,* 1932, pp. 432-448. — *L'épistémologie thomiste,*
dans *Acta secundi congressus thomistici internationalis,* Taurini-
Romae, Marietti, 1937, pp. 31-42. — Plusieurs de ces études ont
été recueillies depuis dans L. Noël, *Le réalisme immédiat,* Louvain,
1938.

phie, ou bien qu'elle s'applique à cette philosophie
une fois constituée. La lettre même de la formule
suggérerait plutôt le deuxième sens, mais nous
pouvons d'autant moins nous dispenser d'examiner le premier que lui aussi demeure possible
et que tous deux soulèvent quelques difficultés.

Si l'on entend par justification critique du
réalisme l'opération par laquelle un réalisme
se rattache à un point de départ incontestable,
ou comprend immédiatement pourquoi, et par
rapport à quoi, une telle attitude revendique le
nom de « critique ». Nous venons en effet de
contester l'existence de réalismes infraphiloso-
phiques, les réalismes du sens commun, et de
constater leurs prétentions à jouer un rôle en
philosophie. On conçoit aisément que des réalistes
fidèles à la tradition de saint Thomas et d'Aristote
n'aiment pas se trouver dans un voisinage aussi
compromettant. Certes, s'il leur fallait choisir
entre les conclusions du sens commun et celles
de Kant, ils choisiraient celles du sens commun.
En fait, ils les choisissent. Pourtant, ces réalistes
se sentent, en un certain sens, plus près de Kant
que des tenants du sens commun, car si l'idéalisme
kantien est faux, il est du moins une philosophie, ce que le sens commun n'est pas. Lorsque
certains réalistes revendiquent pour leur philosophie le titre de « critique », ils veulent donc
d'abord et surtout signifier que leur réalisme est
vraiment une philosophie, en ce qu'il se rattache
expressément et consciemment à un point de
départ dont nul ne peut contester la vérité.

Qu'il y ait de cela dans les revendications de ce titre par certains réalistes contemporains, nous l'avons déjà reconnu. Ainsi s'expliquerait, par exemple, la difficulté qu'éprouvent ces réalistes à concevoir en quoi un réalisme non critique peut se distinguer des réalismes naïfs du sens commun [1], comme si, pour eux, il y avait identité entre l'état « naïf » de la pensée et son état précritique, ou acritique. Pourtant, expliquer l'usage d'une expression n'est pas en justifier l'emploi. S'il est vrai qu'en pareil cas le mot *critique* ne signifie rien de plus que *philosophique*, dire qu'une philosophie réaliste est critique revient simplement à dire que son réalisme est celui d'une philosophie. C'est une tautologie. Le mot *critique*, pris en lui-même, n'a donc aucune signification distincte dans une telle expression ; il y est, à proprement parler, vide de sens.

On objectera peut-être que rien n'interdit de nommer *critique*, et de désigner ainsi par un terme distinct l'opération distincte qui consiste, pour une philosophie, à se rattacher elle-même du dedans à un point de départ incontestable. Rien ne l'interdirait, en effet, si ce rattachement pouvait être conçu comme une opération distincte de celle qui constitue cette philosophie comme philosophie. Or cela est impossible. Une philosophie qui ne se rattacherait pas à des principes incontestables ne serait pas pleinement constituée comme philosophie. Pour mériter pleinement ce nom, il lui

---

[1] « On le voit, le réalisme méthodique ne diffère du réalisme naïf que par sa situation historique et le parti pris conscient dont il résulte. » L. Noel, *La méthode du réalisme*, p. 436.

faut remonter jusqu'à la science des premiers
principes et des premières causes, qui est la
métaphysique. Ainsi, l'opération par laquelle un
réalisme peut dépasser le plan du sens commun
pour s'élever à celui de la philosophie, ne fait
qu'un avec celle par laquelle ce réalisme se
rattache aux principes premiers de la métaphysique. Un tel réalisme sera donc critique, non
seulement dans la mesure où il sera philosophique,
mais dans celle où il sera métaphysique, par où
nous revenons à la position précédente et à l'impossibilité qu'elle recélait : dans une telle formule,
le mot « *critique* » est dépourvu de toute signification distincte, il y est vide de sens.

Le sentiment de ces difficultés est d'ailleurs
loin de faire défaut aux partisans du réalisme
critique, et nous allons les voir préoccupés de lui
donner quelque satisfaction. Puisqu'ils tiennent
à définir leur attitude comme critique, ces réalistes
s'obligent eux-mêmes, pour se distinguer des
autres philosophes, à prouver que leur critique
ajoute quelque chose à ce que ces autres philosophes nomment philosophie. On se trouve par
là conduit à prendre en un sens plus littéral la
définition dont nous sommes partis ; rattacher
la philosophie à un point de départ incontestable
signifierait alors : chercher une évidence privilégiée, peut-être unique, à partir de laquelle toutes
nos certitudes philosophiques pourraient être
confirmées, au moyen d'une opération spéciale
qui serait la critique. Cette fois, nous disposerions
évidemment d'un contenu défini pour le mot
critique, mais le problème surgit aussitôt de

savoir si le réalisme philosophique qué cette critique va justifier mérite encore d'être considéré comme un réalisme immédiat.

Il s'en faut de beaucoup que la question soit facile à résoudre. A première vue, tout philosophe qui se réclame d'Aristote éprouvera quelque surprise de s'entendre dire que l'existence du monde extérieur ne peut être validement affirmée en philosophie tant qu'on ne l'a pas rattachée à une évidence antérieure qui la juge. Ce n'est d'ailleurs pas là simple matière de fidélité à une tradition; la tradition elle-même se fonde sur des nécessités philosophiques qu'un peu d'attention suffit à déceler. Il est en effet facile de comprendre, que bien loin de pouvoir se dire immédiat, un réalisme fondé sur une critique distincte de ce réalisme même n'aurait plus qu'une validité conditionnelle, fondée en dernière analyse sur la critique qui le justifie. En d'autres termes, nous serions alors certains d'appréhender immédiatement un réel distinct de la pensée, mais nous n'en serions pas immédiatement certains.

Un réalisme critique immédiat dont la validité philosophique n'est pas immédiatement évidente, n'est peut-être pas une notion contradictoire, mais c'est une notion confuse, et même équivoque, ainsi que nous allons essayer de le montrer. D'une part, ce réalisme affirme hautement qu'il ne présuppose pas la critique qui le justifie; au contraire, cette critique elle-même présuppose la connaissance du réel, dont elle ne saurait se passer un seul instant, et par rapport à laquelle elle conserve en permanence un caractère pure-

ment et exclusivement réflexif, donc second [1]. Il
s'agirait par conséquent ici d'une critique de
notre réalisme intérieure à ce réalisme même.
D'autre part, si notre appréhension du réel passe
la première, c'est elle qui conditionne la réflexion
par laquelle elle s'explicite; il n'y aura là aucun
point de vue distinct du réalisme d'où l'on puisse
juger le réalisme même et porter sur lui un jugement de valeur; bref, parce qu'on aura toujours
présupposé le réalisme, on ne l'aura jamais critiqué. Si donc le réalisme critique immédiat peut
se maintenir, c'est parce qu'il oscille sans cesse
entre deux positions distinctes désignées par une
seule dénomination. Réalisme immédiat signifie
d'abord : appréhension immédiate d'une réalité
extérieure distincte de la pensée. Objectez à
un tel réalisme qu'il n'est pas critique, il vous
répondra qu'il l'est parce qu'il ne s'affirme comme
valide qu'en vertu d'une réflexion critique.
Objectez-lui que, s'il dépend d'une critique, il
n'est plus un réalisme immédiat, sa réponse
sera que l'objet de sa critique est précisément
de manifester son caractère immédiat.

Il reste pourtant une difficulté. Si l'on commence par accorder que notre appréhension immédiate de l'existence de choses extérieures est
immédiatement évidente, on pourra bien exercer
ensuite une réflexion philosophique sur cette évidence immédiate, mais à aucun moment on ne
l'aura critiquée ni jugée. Le jugement qui formule

---

[1] J. MARITAIN, *Les degrés du savoir*, Paris, Desclée, pp. 143-145.
Cf. L. NOEL, *Les progrès de l'épistémologie thomiste*, pp. 442-443.

une évidence ne peut pas être lui-même jugé.
Pour qu'un réalisme immédiat du monde extérieur puisse se poser comme critique, il faut nécessairement que son affirmation se justifie comme
valide au nom d'une affirmation antérieure plus
immédiatement valide encore. Bref il faut que,
quant à sa certitude, l'affirmation du monde extérieur dépende de l'affirmation d'autre chose,
dont, en un sens quelconque, l'existence soit
plus connue. C'est alors que le vrai problème en
discussion se pose dans sa nudité : ce réalisme
du monde extérieur se suffit-il pleinement sans
sa critique? A la question ainsi posée, on ne peut
répondre que par oui ou non. Dire que la critique
présuppose une philosophie, mais que, après la
critique, « toutes les affirmations de la philosophie
sont transposées dans un ton nouveau et acquiè-
rent une sûreté nouvelle », c'est dire que, sans la
critique, la philosophie n'a pas toute la sûreté
désirable. Or, s'il s'agit du problème de l'existence du monde extérieur, le coefficient d'inévi-
dence dont on affecte sa réponse, si faible soit-il,
non seulement affecte la philosophie tout entière
mais change d'espèce la réponse qu'on lui donne
    Quand on nous dit que les affirmations du
réalisme immédiat reçoivent de la critique une
sûreté nouvelle, on laisse entendre que, livré
à ses seules ressources, le réalisme ne se suffit pas
à soi-même et n'est pas évident. Mais alors, toute
une série de conséquences redoutables ne manqueront pas de suivre, dont la première est que si l'on
ne part pas de l'existence des choses comme
d'une évidence immédiate et qui se suffit, il faudra

nécessairement partir de l'existence de la pensée. Aller de la pensée aux choses, en quelque sens que ce soit, est suivre une méthode idéaliste. C'est donc se condamner, soit à l'idéalisme, soit à la contradiction.

En fait, c'est à la contradiction que le réalisme immédiat critique en est spontanément arrivé. Pour justifier ses prétentions au titre de critique, il lui a bien fallu trouver « un point de départ incontestable » auquel rattacher le réalisme. Ce point de départ devait être distinct du réalisme même, puisqu'il s'agissait de l'y rattacher. On ne s'étonnera donc pas que ce soit Descartes qui l'ait fourni et que le *Cogito* ait été appelé au secours du réalisme immédiat, comme le point de départ incontestable dont cette doctrine avait besoin pour se fonder [1]. Ne nous arrêtons pas ici au caractère paradoxal de cette démarche, les occasions ne nous manqueront pas d'y revenir. Ce qu'il importe par contre de souligner dès à présent, c'est que si, dans une telle doctrine, le *Cogito* est choisi comme le seul point de départ indiscutable de la philosophie, fût-ce même d'une philosophie réaliste, c'est sans doute que les autres points de départ ne sont pas incontestables. *Cogito*, voilà de l'incontestable, car « rien n'est plus proche de la pensée que la pensée elle-même ; lorsqu'elle se saisit dans l'acte de réflexion, elle

[1] « Il s'agit de satisfaire à l'exigence qui s'est prononcée dans la pensée moderne à partir de Descartes et qui cherche à rattacher la philosophie à un point de départ incontestable. Ce point de départ, on a pris l'habitude de le désigner sous le nom du *Cogito* cartésien ». L. NOEL, *La méthode du réalisme* p. 437.

atteint assurément un terme qui échappe à toute possibilité de doute et à partir duquel une reconstruction du savoir pourra se faire méthodiquement[1] ». Pour que le *Cogito* jouisse de ce privilège, il faut bien que le *res sunt* n'en jouisse pas. S'il n'en jouit pas, on peut le mettre en doute. Si l'on peut en douter, c'est donc que le réalisme immédiat lui-même admet que l'on puisse douter de l'existence du monde extérieur. Dès lors, ce n'est pas seulement jusqu'au *Cogito* de Descartes, c'est jusqu'à son doute qu'il devient nécessaire de remonter. S'il n'y a qu'un seul point de départ incontestable, le *Cogito*, le reste peut prêter à doute ; l'existence des choses extérieures ne devient donc indubitable et pleinement évidente qu'à partir de l'évidence parfaite du *Cogito*. Lorsque ces thèses pénètrent dans une épistémologie qui se dit non seulement réaliste, et pourtant critique, mais aussi thomiste, le problème de leur insertion dans la tradition aristotélicienne se pose avec acuité. La seule manière de le résoudre est alors d'attribuer à saint Thomas lui-même, d'abord quelque espèce de doute méthodique, puis, une sorte de *Cogito*. Telles sont aussi les deux tentatives qu'il nous va falloir examiner.

I. LE DOUTE MÉTHODIQUE THOMISTE.

Proposée depuis quelques années à l'attention des philosophes, l'idée de trouver un doute

[1]. L. NOEL, *ibid.*

méthodique chez Aristote et chez saint Thomas
d'Aquin a remporté depuis lors un vrai succès.
On la trouve aujourd'hui chez la plupart des
philosophes néoscolastiques en quête d'une critique et nous ne saurions mieux faire, avant de
la mettre à l'épreuve, que de la reproduire telle
qu'elle a d'abord été formulée : « Aristote faisait
déjà du doute la préface nécessaire de la science,
et à l'entrée de la métaphysique il exigeait un
doute bien poussé, un beau doute..., un doute
recueillant largement toutes les difficultés... Et
Thomas d'Aquin, commentant ce passage, l'accentuait avec une remarquable énergie. Ne déclarait-
il pas que la métaphysique a pour condition
première un doute méthodique universel : « Aliae
scientiae considerant particulariter de veritate,
unde et particulariter ad eas pertinet circa
singulas veritates dubitare. Sed ista scientia
sicut habet universalem considerationem de
veritate, ita etiam ad eam pertinet universalis
dubitatio de veritate [1]. »

Plusieurs pensent depuis longtemps que le
mieux à faire de cet argument est de n'en rien
dire ; malheureusement, il a trouvé un accueil si
favorable, qu'il devient impossible de s'en taire
sans être accusé soit de l'ignorer, soit d'en
redouter la force. Cherchons donc d'abord ce que
signifie le texte d'Aristote auquel on nous renvoie,

[1] A notre connaissance, cet argument a été mis en lumière
pour la première fois par Mgr L. Noël, en 1913 : *Le problème de
la connaissance*, reproduit dans *Notes d'épistémologie thomiste*,
pp. 19-50. Il a été repris par le même auteur dans *Réalisme
méthodique ou réalisme critique*, p. 116. C'est ce dernier texte
que nous reproduisons ici.

pour lui comparer ensuite l'interprétation qui
vient d'en être proposée.

Au début du livre B de la *Métaphysique*,
Aristote observe qu' « il est nécessaire, dans
l'intérêt de la science que nous cherchons, que
nous commencions par l'examen des problèmes
qu'il faudra d'abord discuter [1] ». Ces problèmes
sont ceux sur lesquels « certains philosophes ont
exposé une doctrine différente de la nôtre, et
en outre, certains points qui se seraient trouvés
négligés ». En d'autres termes, Aristote estime
qu'avant de procéder à l'exposition de sa propre
doctrine, il lui faut énumérer et définir les
difficultés que cette doctrine aura à résoudre;
ces difficultés elles-mêmes ont une double origine,
certaines tenant à ce qu'Aristote contredit sur
certains points ses prédécesseurs, d'autres à ce
qu'il posera des problèmes qu'eux-mêmes avaient
oublié de poser. Plusieurs raisons concourent
à recommander cet ordre. D'abord, il est impossible de résoudre une difficulté sans en avoir
préalablement défini la nature, de même qu' « il
est impossible de dénouer un nœud sans le
connaître ». Or, « être embarrassée, c'est, pour
la pensée, se trouver dans un état semblable
à celui d'un homme enchaîné : pas plus que lui
elle ne peut aller de l'avant [2] ». Bref, la première

---

[1] ARISTOTE, *Met.* B, 995 a 24-25. — Nous citons ici la traduc-
tion J. Tricot (ARISTOTE, *Métaphysique*, Paris, J. Vrin, 1933;
t. I, p. 69), non seulement pour l'heureuse conciliation de la fidélité et de l'intelligibilité qui la caractérise, mais aussi parce
qu'elle ne peut être soupçonnée d'avoir été faite en vue de
justifier notre interprétation du texte en question.

[2] ARISTOTE, *loc. cit.*, trad. J. Tricot, t. I, p. 70.

raison pour commencer par définir et discuter
ces problèmes est que, tant qu'ils n'ont pas été
résolus, la pensée se trouve liée par eux et incapable de procéder directement à l'exposition
de la vérité.

A cette première raison Aristote en ajoute
une deuxième; c'est que, « chercher, sans poser
d'abord le problème, c'est comme si l'on marchait
sans savoir où l'on va, c'est s'exposer même à
ne pouvoir reconnaître si, à un moment donné,
on a trouvé, ou non, ce qu'on cherchait. Il est
évident, en effet, qu'alors on n'a point de but;
seul a clairement un but celui qui a d'abord
discuté les difficultés ». Enfin, troisième et dernière raison, il est bon de procéder d'abord à une
sorte de *sic et non*, car « on se trouve nécessairement dans une meilleure situation pour juger
quand on a entendu, comme parties adverses,
en quelque sorte, tous les arguments opposés [1] ».

Il résulte de ce texte, que ce qu'Aristote veut
dire en cet endroit, c'est que l'étude et l'exposé
directs de la Métaphysique présupposent l'examen
d'un certain nombre de problèmes. Ces problèmes,
qu'il énumère immédiatement après, sont au
nombre de quatorze, si du moins l'on ne compte
que les difficultés essentielles et non les nom-
breuses questions accessoires qui se greffent
sur elles [2]. Parmi ces problèmes, un seul, le
deuxième, porte directement sur ce que nous

[1] ARISTOTE, *ibid.*
[2] Pour la liste de ces questions, consulter ARISTOTE, *loc. cit.*,
pp. 70-73; et aussi W. D. Ross, *Aristotle's Metaphysics*, Ox-
ford, 1934; t. I. pp, 221-222.

nommons aujourd'hui noétique, où théorie de
la connaissance. Il consiste en effet à chercher si
la métaphysique doit « considérer seulement les
premiers principes de la substance, ou bien...
embrasser aussi les principes généraux de la
démonstration, tel que celui-ci : est-il possible,
ou non, d'affirmer et de nier, en même temps,
une seule et même chose, et tous autres principes
semblables [1]? ». Les treize autres questions
portent sur des problèmes tels que la causalité, les
Idées, les genres et espèces, le nombre et la nature
des principes des choses, etc., bref, sur des
problèmes qui, bien que leur discussion présuppose
une certaine doctrine de la connaissance, n'intéressent cependant pas directement la noétique.
Ajoutons que le deuxième problème lui-même
n'est pas ici posé comme problème de la connaissance, mais comme l'un des problèmes qui se
rapportent à l'objet de la métaphysique, ou,
plus exactement, à l'extension de cet objet.
Il n'y a donc rien là, jusqu'ici, qui rappelle de
près ou de loin le doute de Descartes; la seule
question posée est une question de méthode,
au sens élémentaire et commun d'ordre à suivre
dans la discussion.

On le voit d'ailleurs clairement à ceci, que bien
loin d'être présentée comme une critique préliminaire requise pour aborder la métaphysique,
la difficulté relative aux principes n'est citée
par Aristote qu'en deuxième lieu. Après s'être
demandé s'il appartient à une science, ou à plu-

---

[1] Aristote, *Métaphysique*, trad. J. Tricot, t. I, pp. 70-71.

sieurs, d'étudier tous les genres de causes,
Aristote ajoute le plus simplement du monde :
« Mais les principes de la démonstration sont-ils,
avec les causes, l'objet d'une seule science ou de
plusieurs? C'est encore là un problème[1] », et
ajoutons-le, un problème du même ordre que le
précédent, puisqu'il s'agit toujours, avant d'aborder l'exposé proprement dit de la Métaphysique,
de déterminer quels problèmes elle doit se poser.
Si l'on en doute, il suffira de relire tout ce chapitre
pour s'en assurer. Les principes, y dit en substance Aristote, sont connus par une expérience
immédiate et chaque science en use comme de
vérités bien connues; donc aucune des sciences
particulières n'en a le privilège exclusif et il
n'appartient à aucune d'elles en particulier de
traiter de ces vérités. D'autre part, si ce n'est
pas le philosophe qui traite de ces principes,
qui donc en traitera? Et s'il ne peut en discuter
dans aucune des sciences particulières qui portent
sur la nature des choses, dans quelle science
en traitera-t-il? Voilà bien le pour et le contre,
c'est-à-dire l'un de ces problèmes qu'il faut
poser avant de prétendre les résoudre, et qu'en
fait Aristote a posé deux fois sans le résoudre
dans le livre B, avant de le résoudre dans le livre Γ
de la *Métaphysique*[2]. Nous aurons à revenir sur
cette solution pour en déterminer le sens ; présen-

---

[1] Aristote, *Métaphysique*, B. 2, 996 b 26-27; trad. J. Tricot,
t. I, p. 76.
[2] Le problème est d'abord formulé sommairement dans
Métaphysique, B, 1, 995 b 10-13; puis discuté sous ses divers
aspects dans B. 2, 996 b 26 — 997 a 15; il est enfin résolu dans
Métaphysique T, 3, 1004 b 18 — 1005 b 34.

tement, nous avons seulement à constater la
nature de la question, avant qu'elle n'ait encore
trouvé sa réponse, et cette nature n'est à aucun
degré, en aucun sens, celle d'un doute, méthodique ou non, que le philosophe croirait devoir
jeter sur toutes les connaissances avant de s'assurer du premier principe. Bien au contraire,
Aristote y déclare formellement que toutes
les sciences antérieures à la métaphysique ont
validement usé de ce principe comme évident,
et qu'elles ont bien fait d'agir ainsi; la seule
question est de savoir, lorsqu'il s'agira de prendre
ce principe lui-même comme objet d'étude,
quelle science sera qualifiée pour en traiter?
Il n'y a rien d'autre dans son texte, que ce que
l'on prendrait soi-même la responsabilité d'y
ajouter.

Y aurait-il quelque chose de plus dans le
commentaire qu'en donne saint Thomas? C'est
ce que donnent à entendre certains de ses interprètes [1]. Il est vrai que, quel qu'en soit le sens,
le texte de saint Thomas semble dès l'abord
rendre un son vaguement cartésien que l'on ne
perçoit nullement dans celui d'Aristote. Le fait
tient surtout à ce que les termes grecs ἀπορία,
ἀπορῆσαι, y sont traduits en latin par *dubitatio*
et *dubitare;* lorsque saint Thomas en arrive à
parler d'*universalis dubitatio de veritate*, la formule
suggère si vivement à l'esprit un doute universel
sur la possibilité de la vérité en général, qu'il

---

[1] « Et Thomas d'Aquin, commentant ce passage (d'Aristote),
l'accentuait avec une remarquable énergie ». L. NOEL, *Réalisme
méthodique ou réalisme critique*, p. 116.

est difficile de ne pas y lire une invitation à quelque entreprise critique analogue au doute méthodique cartésien.

Le problème subsiste pourtant de savoir ce que signifient ces expressions. Au sens strict, une ἀπορία « est la mise en présence de deux opinions, contraires et également raisonnées, en réponse à une même question [1] ». Le mot latin *dubitatio* a conservé ce sens, au moins comme l'un de ceux qu'il peut signifier. Au moyen âge, une *dubitatio* peut être un doute, mais elle peut être aussi un problème, une difficulté, une question. Une *bona dubitatio* est une bonne question, une question intéressante et qui vaut la peine qu'on l'examine. Avant d'attribuer à saint Thomas d'Aquin l'idée d'un doute universel semblable à celui de Descartes, il faut donc s'assurer d'abord du sens que lui-même attribue dans ce passage au mot *dubitatio*.

A vrai dire, le texte ne ferait aucune difficulté si l'on n'avait commencé par le rapprocher de Descartes. Saint Thomas l'a écrit dans un commentaire sur la *Métaphysique* d'Aristote ; son intention principale, en écrivant ce commentaire, était d'expliquer le texte d'Aristote, non d'y ajouter subrepticement une doctrine aussi étrangère d'esprit et nouvelle de contenu que l'eût été un doute de type cartésien. En fait, c'est bien à quoi semble se limiter ici son effort, si du moins on ne sollicite pas son texte au delà de ce qu'il entend donner. Aristote, nous dit-on, exigeait

---

[1] O. HAMELIN, *Le système d'Aristote,* Paris, F. Alcan, p. 233; cité par J. TRICOT, *trad. cit.,* t. I, p. 69.

à l'entrée de la métaphysique « un doute bien
poussé, un beau doute : τὸ διαπορῆσαι καλῶς... [1] »,
mais τὸ διαπορῆσαι καλῶς ne veut pas dire « un
beau doute »; cela signifie simplement, comme
le traduit exactement M. J. Tricot, « développer
avec soin » une aporie, c'est-à-dire définir exactement le problème que l'on se propose de résoudre.
Du moins est-ce ainsi que l'interprète saint
Thomas et c'est, pour l'instant, la seule chose
qui nous importe. Pour lui « bene dubitare »
signifie simplement « bene attingere ad ea quae
sunt dubitabilia. Et hoc ideo quia posterior
investigatio veritatis, nihil aliud est quam solutio
prius dubitatorum ». Celui qui ne connaît pas un
nœud ne peut pas le dénouer; pour y réussir,
il lui faut d'abord examiner le lien et la manière
dont le nœud est fait, car c'est alors seulement
qu'il peut le dénouer et reprendre sa marche
en avant; de même aussi pour la raison aux
prises avec une aporie *(dubitatio); car* toute
aporie, tout problème non résolu, produit sur la
pensée le même effet qu'un lien matériel sur le
corps. Celui qui *dubitat*, c'est-à-dire qui ne sait
comment résoudre un problème, ressemble à
un homme qui a les pieds liés et ne peut plus
marcher : *ille qui dubitat, quasi habens mentem
ligatam, non potest ad anteriora procedere secundum viam speculationis.* Pour pouvoir reprendre
sa marche en avant, que faut-il? Il lui faut
solvere dubitationem, sortir d'incertitude, se
libérer l'esprit des problèmes non résolus qui

---

[1] L. NOEL, *Réalisme méthodique ou réalisme critique*, p. 116.

l'encombrent, et, pour cela, *oportet quod prius speculetur omnes difficultates et earum causas* [1]. Bref, pour pouvoir avancer dans l'étude de la métaphysique, il faut d'abord examiner toutes les apories, tous les problèmes qui en précèdent l'étude proprement dite. Jusqu'ici, coïncidence parfaite entre le texte d'Aristote et le commentaire de saint Thomas d'Aquin.

La suite du commentaire ne soulève d'abord aucune difficulté spéciale. Saint Thomas y souligne simplement les articulations du raisonnement d'Aristote : ceux qui veulent chercher la vérité *non considerando prius dubitationem*, c'est-à-dire, non pas du tout sans douter, mais sans définir d'abord l'aporie qui lie la pensée, ressemblent aux gens qui marchent sans savoir où ils vont. Pour le voyageur, le terme de la route est le point qu'il se propose d'atteindre ; pour celui qui cherche la vérité, la fin qu'il se propose est l'*exclusio dubitationis ;* mais, pour éliminer l'aporie, il faut d'abord l'avoir vue, et c'est pourquoi l'on doit commencer par examiner les difficultés. Ajoutons que même si par hasard il arrive, celui qui ne sait pas où il va est incapable de s'apercevoir qu'il est arrivé : *ita etiam quando aliquis non praecognoscit dubitationem, cujus solutio est finis inquisitionis, non potest scire quando invenit veritatem quaesitam, et quando non.* Il s'agit donc clairement ici, non d'un doute, mais du problème qu'il faut définir pour pouvoir au moins se rendre compte plus tard

---

[1] THOMAS D'AQUIN, *In Metaphysicam Aristotelis*, III, lect. 1; éd. Cathala, n. 339.

qu'on l'a résolu. Enfin, précisant ce qu'il nomme
la quatrième raison d'Aristote, saint Thomas
fait observer que bien examiner ces apories,
ou problèmes, est un devoir du maître à l'égard
de ses auditeurs. Nul juge ne peut porter sentence
sans avoir entendu d'abord les deux parties,
de même aussi l'étudiant en philosophie sera
mieux à même de juger après avoir entendu
toutes les raisons, proposées, pour ainsi dire,
par des adversaires aux prises l'un avec l'autre :
*si audierit omnes rationes quasi adversariorum
dubitantium* [1]. Aucun doute n'est là-dessus possible : ces adversaires supposés que l'on met aux
prises devant l'étudiant, ce sont bien le pour et
le contre de l'aporie, de la *dubitatio* dont il s'agit
de se libérer.

Si l'on conservait le moindre doute à ce sujet,
il suffirait de lire la suite du commentaire pour
se libérer de toute hésitation. « Il faut d'ailleurs
observer », ajoute en effet saint Thomas, « que
telles sont les raisons pour lesquelles, dans presque
tous ses livres, Aristote eut coutume de faire
passer les questions qui surgissaient, avant la
recherche ou la détermination de la vérité. Seulement, dans ses autres livres, il introduit les
questions une à une, au moment de les déterminer,
au lieu qu'ici, c'est toutes ensemble qu'il fait
d'abord passer les questions, pour en déterminer
ensuite la vérité selon l'ordre dû. La raison en
est que les autres sciences considèrent des aspects
particuliers de la vérité, et qu'en conséquence

---

[1] THOMAS D'AQUIN, *op. cit.*, n. 340-342.

il leur revient de considérer en particulier les problèmes relatifs à chacune des vérités ; au lieu que cette science-ci, puisqu'elle considère la vérité universellement *(sicut habet universalem considerationem de veritate)*, doit aussi se poser dans son universalité le problème de la vérité *(ita etiam ad eam pertinet universalis dubitatio de veritate)* ; c'est pourquoi, au lieu d'examiner chaque problème en particulier, elle procède à les examiner tous à la fois *(et ideo non particulariter, sed simul universalem dubitationem prosequitur)* [1]. Saint Thomas ajoute bien, cette fois, une raison de son crû aux quatre raisons données par Aristote, mais c'est seulement pour expliquer ce fait précis, qu'au lieu de disposer les problèmes relatifs à la métaphysique successivement et au cours de son ouvrage, Aristote les ait tous bloqués en un seul livre, le Livre B de la *Métaphysique*. L'explication que saint Thomas en suggère, est que la science métaphysique, qui pose le problème, non de telle ou telle vérité, mais de la vérité tout court, se doit de dénombrer

---

[1] THOMAS D'AQUIN, *op. cit.*, n. 343. — Si l'on gardait encore quelque hésitation sur le sens thomiste de ce mot, qu'on lise le texte suivant : « Postulat a me vestra dilectio, ut de articulis fidei et Ecclesiae sacramentis aliqua vobis compendiose pro memoriali transcriberem, cum *dubitationibus* quae circa haec moveri possent. » *De articulis fidei, init.*, dans *Opuscula omnia*, éd. P. Mandonnet, t. III, p. 1. Saint Thomas ajoute que tout l'effort des théologiens porte « circa dubietates contingentes articulos fidei ». D'où il résulte que si *dubitatio* = doute, toute l'étude des théologiens portera sur les doutes que l'on peut soulever au sujet des articles de foi. Le sens obvie du texte est : vous me demandez de vous écrire quelque chose sur les articles de foi et les sacrements, avec les *problèmes* que l'on peut poser à ce sujet.

d'un seul coup toutes les apories relatives à son
objet. C'est là, dira-t-on, alléguer une bien belle
raison d'un bien petit fait. Il se peut, mais c'est
exactement ce que saint Thomas veut dire. Son
intention est si clairement d'expliquer pourquoi
le livre B formule d'un seul coup toutes les apories
dont les livres suivants fourniront les réponses,
qu'il en propose tout de· suite une autre explication, qui nous ramène au vif du sujet : presque
tous les *dubitabilia*, ou points contestés, qu'il
énumère, tiennent à ce que d'autres philosophes
ne s'accordent pas avec lui sur ces points ; or ces
philosophes vont de l'intelligible au sensible,
au lieu que lui va toujours du sensible à l'intelligible ; l'ordre que suit Aristote dans la recherche
de la vérité est donc inverse de celui qu'avaient
suivi les autres philosophes. De là sa décision de
formuler d'un seul coup toutes les difficultés nées
de leurs doctrines, car ne pouvant mener simultanément l'exposé de ses positions et la critique
des leurs, Aristote a préféré énumérer à part toutes
leurs positions au début de son œuvre, pour les
discuter ensuite par ordre, selon que sa propre
doctrine l'exigerait : *ideo praeelegit primo ponere
dubitationes omnes seorsum, et postea suo ordine
dubitationes determinare* [1].

Il devient par là possible de préciser les rapports
de la position de saint Thomas à celle de Descartes.

----

[1] Thomas d'Aquin, *op. cit.*, n. 344. Le n. 345 ajoute une
troisième raison du même fait, que saint Thomas emprunte
à Averroës : « Tertiam assignat Averrois dicens hoc esse propter
affinitatem hujus scientiae ad logicam, quae tangitur infra
in quarto. Et ideo dialecticam disputationem posuit circa
partes principales hujus scientiae. »

On nous assure qu'entre eux la rencontre n'est
pas que verbale[1]. A dire vrai, elle n'est même
pas verbale, car on ne nous cite aucun cas où
Descartes ait parlé d'une *universalis dubitatio
de veritate*, comme saint Thomas, ni où saint
Thomas ait déclaré comme Descartes : « je pensai
qu'il fallait... que je rejetasse, comme absolument faux, tout ce en quoi je pourrais imaginer
le moindre doute[2] ». S'il y a rencontre, elle se
limite à ceci, que tous deux usent des mots
communs *dubitatio*, *dubitare*, en des sens d'ailleurs
différents. Il ne suffit pas de dire que « les cha-
pitres qui suivent dans la *Métaphysique* d'Aristote ne réalisent guère le doute méthodique à la
façon de Descartes[3] »; ce qui est vrai, c'est que
le doute cartésien est sans aucun rapport avec
l'ἀπορία d'Aristote ou la *dubitatio* de saint Thomas d'Aquin. Le doute d'Aristote et de saint
Thomas est celui qu'exprime le mot *Utrum* et
dont s'accompagne toute question; le doute de
Descartes porte sur des réponses. Au début de
leur métaphysique, Aristote et saint Thomas
se posent un certain nombre de questions sur
l'objet de la *métaphysique* et ils formulent ces
questions toutes à la fois pour ne pas oublier
de leur trouver une réponse. Au début de sa
métaphysique, Descartes décrète que toutes les
réponses fournies par les autres sciences à

---

[1] L. NOEL, *Réalisme méthodique ou réalisme critique*, p 117.
[2] R. DESCARTES, *Discours de la Méthode*, IVe partie; éd. Adam-
Tannery, t. VI, p. 31, l. 26-30. Notons, en passant, que l'expression « doute méthodique » ne se rencontre même pas chez
Descartes.
[3] L. NOEL, *Réalisme méthodique ou réalisme critique*, p. 117.

leurs propres questions devront être tenues pour
fausses, ou quasi fausses, tant que la métaphysique nouvelle ne les aura pas justifiées. Il n'y a
vraiment aucune analogie entre ces deux positions.

Sans doute est-ce pour cela que ceux qui tentent
de les rapprocher se montrent si peu difficiles en
fait de ressemblances. Encore faudrait-il qu'il y
en eût pour qu'on en pût parler. Dire que tous
deux se ressemblent par leur décision de poser
toutes les questions, de dénicher toutes les confu-
sions, « afin de n'avancer que dans une pleine
lumière à laquelle aucune ombre se mêle », c'est
ne rien dire d'eux qu'on ne puisse aussi bien dire,
sinon de tout philosophe, du moins de tout
métaphysicien. Tous les métaphysiciens entendent
poser les questions les plus générales, « et jusqu'au
bout, jusqu'au point où il ne reste aucune question à poser ». Ce qui importe, lorsqu'on veut
rapprocher deux métaphysiques, c'est de prouver
que leur manière de poser les questions les plus
générales, ou questions ultimes, est en quelque
point comparable. Or le doute dont use Descartes
est la négation même de la méthode suivie par
Aristote et par saint Thomas. Il ne suffit pas ici
de dire que tandis qu'Aristote « cherche à recueillir
toutes les difficultés, afin de connaître exactement tous les points obscurs sur lesquels il lui
faudra faire jaillir la lumière, Descartes cherche
à atteindre le sommet lumineux où pourra s'accomplir, dans une clarté absolue, la première démarche
de l'esprit et d'où il partira ensuite pour recons-
truire, dans la même clarté, tout l'édifice du

savoir [1] ». De telles formules ne servent qu'à
escamoter la question en baptisant ressemblance
la plus profonde des oppositions. Car c'est justement parce que Descartes cherche à atteindre
ce sommet lumineux qu'il lui faut d'abord douter
de tout le reste; et c'est justement parce que
saint Thomas n'a pas eu à le chercher, qu'à aucun
moment il ne lui faut douter du reste.

De ces deux méthodes, comme de celles d'Aristote et de ses prédécesseurs, on peut donc dire
qu'elles sont opposées au point de ne plus être
comparables. Chez Aristote et saint Thomas
le premier principe est à l'œuvre dès la plus
modeste des connaissances vraies, et lorsque la
métaphysique viendra couronner l'édifice des
sciences, jamais elle ne se posera comme un point
de départ dont il faille ensuite les déduire pour
les justifier. Un thomiste ne considère pas la
mathématique comme douteuse tant qu'il n'a
pas construit sa métaphysique; pour lui, tout être
raisonnable est naturellement en possession du
premier principe et en use valablement pour
constituer les sciences, quand bien même il
ignorerait la formule métaphysique et jusqu'à
l'existence même de ce principe. En fait, le monde
est plein de gens qui se contentent de la science
sans pousser jusqu'à la sagesse; ils ne s'élèvent
pas jusqu'à la considération des premiers principes, mais ils s'en servent, et leur science n'en
vaut pas moins pour cela. Dans la philosophie de
Descartes, au contraire, nul ne peut faire usage

[1] L. Nobl, *ibid.*

du premier principe avant de l'avoir découvert comme tel, et tant qu'on ne l'a pas découvert pour lui rattacher le reste, tout ce reste, même les mathématiques, doit être considéré comme douteux. Le doute méthodique est donc la condition antécédente nécessaire de la découverte du premier principe, car on reconnaît le premier principe à ce signe, que lui, et lui seul, résiste victorieusement à l'épreuve du doute méthodique. Bref, il faut douter de tout pour trouver la seule chose dont il soit impossible de douter, et qui deviendra, pour cette raison même, le premier principe de la connaissance.

Dans une controverse de ce genre, il s'agit donc avant tout de savoir si l'on entend désigner du même nom des attitudes philosophiques opposées. D'une part, la philosophie aristotélicienne et thomiste, où le premier principe est coessentiel au premier acte de la raison humaine et, valablement actif dans la constitution des sciences, s'élève enfin jusqu'à la claire conscience de soi dans la Métaphysique qui les couronne; d'autre part, une philosophie de type cartésien, où la découverte du premier principe est la condition nécessaire de toute connaissance valable, si bien que la métaphysique engendre le corps entier des sciences au lieu de le couronner. Dans le premier cas, il est assurément nécessaire de bien examiner les problèmes, et il peut être expédient de les formuler tous d'un seul coup avant de les résoudre, mais en aucun sens, à aucun moment, la métaphysique ne présuppose un doute universel sur ce qui la précède, qu'il

s'agisse des autres sciences déjà constituées et
de leurs résultats, ou du pouvoir qu'a la raison
d'atteindre la vérité et l'être. Dans le deuxième
cas, il est au contraire nécessaire de douter d'abord
de tout pour faire éclater l'évidence du premier
principe. Ces deux attitudes diffèrent *toto coelo*
et l'on ne peut insister pour les rapprocher à
moins de méconnaître l'essence de l'une ou de
l'autre, peut-être même des deux.

On peut se demander d'ailleurs si ce n'est pas
ce qui se passe. Il est vraiment surprenant de
voir avec quelle imprudence certains réalistes
manient les thèses essentielles du cartésianisme,
sans se douter qu'ils jouent avec des explosifs
qui doivent inévitablement faire sauter leur
réalisme. Bien loin de voir que le doute méthodique est inséparable de l'idéalisme cartésien,
ils estiment que cet effort du philosophe moderne
pour atteindre, à travers le doute, un premier
principe, offre l'avantage de conduire à une
philosophie de structure systématique et linéaire
« où toutes choses se suivront logiquement sur
le modèle de la géométrie. Tel est l'idéal tracé
dans les règles que Descartes se donne pour sa
recherche, idéal peut-être trop rigide, mais dont
il était juste de tendre à se rapprocher autant
que faire se pourrait [1] ». Tout se tient en effet,
dans l'erreur comme dans la vérité, dès qu'entre
en jeu la nécessité abstraite des essences. Qui veut
un premier principe de type cartésien doit vouloir
le doute méthodique par lequel seul on l'atteint

[1] L. Noel, *ibid.*

et réclamer la philosophie de structure linéaire
que ce premier principe engendre, car les philosophies sont linéaires dans la mesure où elles
sont déductives, et elles sont déductives dans la
mesure où elles sont idéalistes. C'est parce qu'elle
est strictement réaliste que la philosophie de
saint Thomas n'offre pas une structure linéaire
et mathématique, et qu'elle ne se déduit pas d'un
principe conquis au prix d'un doute méthodique
de type quelconque. Si l'on se contente d'emprunter à Descartes les formules dont il use sans rien
garder de ce qu'elles signifient, une telle attitude
relève moins de la philosophie que de l'oppor-
tunisme : elle cesse de nous intéresser; mais si,
même sans s'astreindre à maintenir intact leur
sens primitif, on veut en conserver quelque
chose, on peut être sûr que ces formules ramè-
neront tôt ou tard l'essentiel du cartésianisme,
c'est-à-dire la négation même du réalisme d'Aristote et de saint Thomas d'Aquin.

II. Le Cogito thomiste.

Depuis son habile lancement par Mgr L. Noël,
le doute méthodique thomiste n'a cessé de gagner
du terrain. Immédiatement repris par G. Picard,
puis par M.-D. Roland-Gosselin et par J. Maréchal, il nous est aujourd'hui présenté par P. Descoqs comme en voie de recevoir une approbation
générale : *idem nunc magis atque magis apud
scholasticos admittitur*[1]. On ne s'étonnera donc pas

[1] L. Noël, *Le réalisme immédiat*, dans *Revue néoscolastique*,
mai 1923, p. 163 (reproduit dans *Notes d'épistémologie thomiste*,

qu'après avoir assisté à la diffusion croissante
du doute méthodique scolastique, nous assistions
aujourd'hui à celle d'un *Cogito* scolastique et
thomiste. Ce n'est certes pas par hasard qu'ayant
commencé par le doute, Descartes a continué
par le *Cogito*. Ce n'est pas non plus par hasard
qu'ayant commencé comme lui, ses imitateurs
scolastiques continuent de même. La relation
nécessaire qui lie ces deux thèses vaut pour eux
comme pour lui et nul philosophe soucieux de
cohérence logique ne saurait s'y soustraire.

Certes, c'est une assez grave décision que de
souscrire au premier principe d'une métaphysique dont on entend rejeter les conséquences.
Le risque est ici d'autant plus sérieux, qu'il
s'agit précisément d'une de ces philosophies
quasi géométriques dont les éléments prétendent
s'enchaîner avec une absolue nécessité. De là,
semble-t-il, le flottement que l'on observe chez
ceux qui tentent cette opération. Dès qu'ils
voient quelles conséquences redoutables sortent
du premier principe cartésien tel que Descartes
lui-même l'a compris, ils s'empressent d'affirmer
qu'eux-mêmes font de ce principe un tout autre
usage et qu'à vrai dire ils l'entendent en un sens
entièrement différent. Objecte-t-on qu'alors il
ne s'agit plus du même principe et que c'est là

Louvain-Paris, 1925, pp. 26-27). — G. Picard, *Le problème
critique fondamental*, Paris, G. Beauchesne, 1923, p. 77. —
M.-D. Roland-Gosselin, dans *Bulletin Thomiste*, mai 1925,
p. 80. — J. Maréchal, *Le point de départ de la métaphysique*,
cahier V, Louvain-Paris, 1925, pp. 38-40. — P. Descoqs, *Praelectiones theologiae naturalis*, Paris G. Beauchesne, 1932; t. I,
pp. 45-47. La liste n'est ni close, ni même complète à ce jour.

se payer de mots, ses partisans lui rendent
quelque chose de son sens propre, au risque de
ramener les conséquences qu'ils s'efforçaient
d'éviter. Rien n'empêchera jamais personne
d'échanger indéfiniment l'un de ces terrains
pour l'autre. Pour essayer de circonscrire un
terrain sur lequel la conversation garde un sens
constant, disons du moins que nous ne voyons
nulle impossibilité pratique à ce que l'on introduise dans le thomisme un doute méthodique
qui ne soit ni un doute, ni méthodique, ou un
premier principe tel que le *Cogito* cartésien qui
n'y joue pas le rôle d'un principe et n'y garde
aucun sens cartésien. Dans certaines œuvres
néoscolastiques, il ne s'agit pas d'autre chose et
l'on dirait que les auteurs s'y amusent simplement
à se déguiser en philosophies modernes. Une telle
attitude n'atteint même pas le niveau où la
discussion philosophique peut commencer. Mais
il est d'autres philosophies néoscolastiques où,
bien que l'on s'efforce de restreindre la portée
des principes invoqués, on respecte cependant
l'essence et le caractère premier de ce que l'on y
choisit comme principe. C'est avec de telles philosophies, et en tant seulement qu'elles adoptent
cette attitude, que nous avons commencé la discussion et que nous nous proposons de la continuer.

C'est précisément parce qu'il prend les idées
au sérieux, qu'après avoir concédé la nécessité
d'un doute méthodique, Mgr L. Noël se trouve
naturellement conduit, comme Descartes, à faire
de ce doute, non un doute de questions, mais
un doute sur des réponses. Cela va de soi, car la

vis verborum l'y oblige. Douter ne veut pas dire interroger. Quand on s'engage à douter, on arrive inévitablement à faire ce que le mot désigne, c'est-à-dire à considérer comme au moins provisoirement incertaines les réponses possibles à ces questions. Ainsi, ayant accepté de Descartes la méthode du doute, Mgr Noël va se trouver conduit à accepter du même philosophe la raison spécifique pour laquelle il doute : « Tel est donc bien le but de l'effort cartésien, le résultat du doute méthodique. Il faut que la philosophie nouvelle ait un fondement bien délimité, dont elle ait fait le tour et qu'elle possède pleinement : le premier principe de la philosophie[1]. » Or, si l'on cherche un premier principe au sens cartésien du terme, c'est-à-dire un premier jugement d'existence que nul doute ne puisse ébranler, on se trouvera naturellement ramené à celui même d'où Descartes était parti : la pensée. Tout peut être atteint à partir de là et nous ne pouvons rien atteindre que par là : « La pensée n'est donc pas simplement, pour une philosophie systématique, un point de départ possible parmi bien d'autres. C'est, nous paraît-il, le seul point de départ légitime[2]. »

Nous avons fait du chemin depuis notre départ. Après nous être mis en route pour trouver un réalisme critique, nous en sommes venus à réclamer, outre le doute méthodique, une philosophie « systématique », construite linéairement à partir de ce qu'il y a de plus aisé à connaître,

[1] L. Noel, *Réalisme méthodique ou réalisme critique*, p. 118.
[2] L. Noel, *op. cit.*, pp. 119-120.

et par conséquent fondée sur une sorte de *Cogito*.
Si c'est là de l'épistémologie thomiste, rien n'est
désormais impossible, et l'on ne craindra même
plus de poser au nom du thomisme la thèse
suivante : « Toute l'épistémologie est là, avec le
point de départ de la métaphysique, et le sort
du réalisme dépend de cette question : est-il
oui ou non possible d'atteindre les choses en se
mettant au point de vue du *Cogito*[1]? » Il faudrait
pourtant s'entendre sur ce que l'on veut dire. Si
l'on pense réellement que le seul point de départ
légitime de la métaphysique est la pensée, que
ce point de départ contient toute l'épistémologie
et qu'il est possible d'atteindre les choses en
partant de là, on a le droit de le dire ; mais puisque
saint Thomas n'est pas parti de la pensée, n'a
pas fondé sur elle son épistémologie, et n'a jamais
eu à en partir pour atteindre les choses, quelle
raison peut-on alléguer pour nommer *thomiste*
cet ensemble de thèses fondamentales, qui
appartiennent toutes à Descartes et dont aucune
n'appartient à saint Thomas d'Aquin? Le seul
état d'esprit qui puisse expliquer pareille entre-

---

[1] L. Noel, *Notes d'épistémologie thomiste*, p. 88. — On peut
craindre que ce texte, isolé de son contexte, ne semble dire plus
qu'il ne dit en effet. La vérité est que nous lui faisons dire moins
qu'il ne dit : « Nous avons déjà dit (p. 55) comment le doute
cartésien, atteignant les questions les plus universelles, a conduit
l'esprit au point de vue initial énoncé plus ou moins bien dans
le *Cogito*, et précisé depuis par trois siècles de critique : l'esprit
revenant sur lui-même, se saisissant à la réflexion sans intermédiaire et cherchant à définir ainsi la valeur et la portée de
ses actes. Toute l'épistémologie est là... » etc. Ainsi le *Cogito*
revu par trois siècles de critique deviendrait le point de départ
obligé de la nouvelle épistémologie thomiste.

prise et qui lui conférerait au moins une apparence d'intelligibilité serait celui du compromis.

Pour obtenir un *Cogito* réaliste, on fait d'abord
observer que l'objet saisi par la pensée n'est
pas lui-même que de la pensée. Bien au contraire,
comme l'écrivait Lachelier, « tout ce qui est
objet de la pensée, est autre que l'acte même
de la pensée ». Mais cet objet de pensée ne nous
sortira de la pensée que s'il est lui-même directement du réel : « à ce compte-là seulement le
réalisme sera justifié. Le réalisme immédiat
affirme qu'il en est bien ainsi. Mais cela peut-il
se montrer [1]? » Que cela se puisse, nous dit-on,
il faut bien le croire, puisqu'enfin nous avons la
notion de réel et qu'il faut bien qu'elle nous vienne
de quelque part. Elle nous vient de ce qui nous est
donné, dans la pensée, comme de l'indépendant,
ou mieux, comme du non-dépendant de la pensée.
Car c'est cela même qui est pour nous le réel :
« Tandis que l'idée apparaît dépendante de l'activité consciente, le réel n'apparaît pas dépendant
de cette même activité [2]. » Formules manifestement équivoques, et qui, de Platon à Malebranche, en passant par Plotin et saint Augustin,
ont autorisé des générations de penseurs à dépré-
cier la réalité du monde sensible pour exalter la
réalité des Idées. Notons simplement que tel
n'est pas ici leur sens; car la donnée réelle en
question, « c'est la donnée sensible, que la conscience trouve à tout moment en face de son
activité et qui s'impose à elle comme un élément

[1] L. Noel, *Réalisme méthodique ou réalisme critique*, p. 124.
[2] L. Noel, *op. cit.*, pp. 127-128.

étranger,... auquel dès l'abord elle peut accorder ou refuser son attention, mais qu'elle ne saurait ni créer ni supprimer [1] ».

Voilà donc le circuit terminé, mais on excusera le lecteur de se demander pourquoi cette apparence de voyage si l'on était arrivé avant de partir. On a d'abord exigé de nous un doute méthodique exhaustif, mais puisque ce doute conduit à constater que l'on ne peut mettre en doute ni le fait de la pensée, ni celui de l'existence du sensible, de quoi peut-on bien avoir douté? Le doute de Descartes doute au moins de quelque chose, celui de Mgr Noël ne doute de rien. On pose ensuite le *Cogito* comme le seul point de départ possible de la métaphysique, mais en ajoutant que le réel extramental est toujours présent à la pensée. Si c'en est une donnée *immédiate*, le *Cogito* ne lui est nullement antérieur; l'un et l'autre étant donnés ensemble, et s'ils sont donnés l'un dans l'autre, en quel sens le *Cogito* se pose-t-il comme un point de départ obligé? On dit encore que le sort du réalisme dépend de cette question : « est-il oui ou non possible d'atteindre les choses en se mettant au point de vue du *cogito?* » Mais si les choses sont immédiatement présentes à la pensée, il est contradictoire de partir de la pensée pour les atteindre. On ne peut pas partir pour franchir une distance dont on accorde qu'elle n'existe pas. Tout ce simulacre revient à s'armer de méthodes feintes pour sortir de difficultés où

---

[1] L. Noël, *op. cit.*, p. 128

l'on fait semblant de s'engager. Car il faut bien
le dire, le *Cogito ouvert* que l'on prétend opposer
au *Cogito fermé* de Descartes [1] n'est rien de plus
qu'un trompe-l'œil. Lorsque Descartes dit qu'il
part du « Je pense », ce qu'il dit a un sens, parce
qu'il ne part que de la pensée. C'est même
pourquoi ni lui ni ses successeurs n'ont jamais
pu en sortir. Dire au contraire qu'on part du
« Je pense » en y incluant l'existence du monde
extérieur, c'est partir de cela même à quoi l'on
prétendait arriver.

Nul ne supposera un seul instant qu'un réaliste
ait pu prendre de tels détours dans l'intention
de tromper les autres, mais il arrive qu'on se
trompe soi-même. Ici, comme ailleurs, l'origine
des difficultés est dans une réaction mal calculée
contre les réalismes dits de « sens commun ».
A des réalismes qui se croient philosophiquement
fondés sans même s'être réfléchis, on oppose la
réflexion comme si toute opération réflexive devait
être cartésienne et, du même coup, critique. Or
toute critique est réflexive, mais toute activité
réflexive n'est pas nécessairement critique. C'est
pour avoir supposé le contraire que Mgr L. Noël
considère comme critique un réalisme qui se
fonderait sur le *Cogito*, et qu'il considère son
propre *Cogito* comme une méthode critique.
Critique bien simple, assurément, que celle qui
consiste à prendre conscience que ce qui est
immédiatement évident pour la pensée est en

---

[1] L. NOEL, *L'épistémologie thomiste*, dans *Acta secundi congr.
thomist. internat.*, p. 34. Voir à ce sujet, les justes remarques
de J. MARITAIN, *op. cit.*, pp. 42-43.

effet immédiatement évident. De même que son *Cogito* constate qu'il n'y a pas lieu de passer de la pensée à l'être, cette critique se borne à constater qu'il n'y a rien à critiquer.

C'est à quoi se réduit en fin de compte cette subtile dialectique où la philosophie n'a pas grand chose à gagner. Que le réalisme immédiat soit le seul réalisme digne de ce nom, ceux qui s'accordent sur ce point s'accordent sur le fond des choses. Plus ils se sentent assurés d'être dans le vrai, plus ils doivent s'efforcer de ne rien faire qui puisse desservir une si importante vérité. C'était la servir fort mal que de la recommander aux philosophes comme une simple certitude de sens commun, car les certitudes de sens commun ne sont pas toutes des évidences philosophiques; mais ce n'est pas la servir beaucoup mieux que de la déguiser en son contraire, dans l'espoir de la faire plus aisément accepter. En premier lieu, de tels procédés ne sont dignes ni d'elle, ni même de l'erreur à laquelle on prétend l'opposer. Les expressions que l'on emprunte à Descartes désignent, dans sa doctrine, des démarches définies de la pensée, qui sont toutes dirigées contre le réalisme immédiat tel que Mgr L. Noël a pleinement raison de l'entendre : si l'on refuse ces démarches, pourquoi revendiquer les expressions créées par Descartes pour les désigner? Lorsqu'il exige de nous le doute méthodique, c'est avant tout contre l'évidence sensible qu'il l'exige, fût-ce celle de l'existence du monde extérieur; qu'est-ce donc qu'un doute méthodique qui s'interdirait d'en douter? Si Descartes part du *Cogito*, c'est avant tout pour bien montrer que le monde extérieur *n'est pas* immédiatement donné dans cette pensée; en quel sens le *Cogito* reste-t-il la condition première de toute connaissance métaphysique, si le *res sunt* est aussi immédiatement connu que lui? A moins donc de soutenir ouvertement, ce que l'on se garde bien de faire, que l'existence du monde extérieur ne peut être évidemment connue que pour qui connaît d'abord évidemment l'existence de la pensée, toute cette apparence de dialectique idéaliste consiste à requérir, comme conditions indispensables d'un réalisme vraiment philosophique, des opérations dont on emprunte les noms, mais que l'on refuse d'effectuer.

C'est pourquoi, n'en déplaise à ses défenseurs, je persiste à penser que « le problème de trouver un réalisme critique est en soi contradictoire comme la notion de cercle carré[1] ». C'est un brocard scolastique connu au point d'en paraître usé, que *ab esse ad nosse valet consequentia*. On s'excuse de le rappeler, mais en ces quelques mots s'exprime l'essence même de tout véritable réalisme. Il faut partir de la pensée, ou de l'être, mais on ne peut faire les deux à la fois, et si l'on prétend construire une épistémologie thomiste, chacun sait que c'est l'être dont il faut partir. Le premier philosophe connu qui ait osé renverser cette proposition, est Descartes, pour qui, selon ses propres expressions, *a nosse ad esse valet consequentia*. Il ajoute même que c'est la

---

[1] E. GILSON, *Le réalisme méthodique*, p. 10. — *Contra:* L. NOEL *Le réalisme immédiat*, Louvain, 1938; pp. 21-48.

seule sorte de conséquence qui soit bonne. Si
donc l'on ne veut pas rester dans une ambiguïté
qui ne peut servir rien ni personne, c'est là-dessus
qu'il faut prendre nettement position. Appeler
critique un réalisme qui va de l'être au connaître,
c'est vider de sens se terme de *critique* et proprement ne rien dire. Du réalisme ainsi entendu on
ne peut même pas dire qu'il soit contradictoire,
car bien que sa formule contienne deux mots,
elle ne désigne qu'un concept. Mais appeler
« réalisme critique » une philosophie, qui serait
réaliste parce que le réel y est immédiatement
donné à la pensée, mais qui serait en même temps
critique, parce que, comme le veut Mgr Noël, la
pensée est pour elle « le seul point de départ
légitime », c'est s'engager à prouver que *ab esse
ad nosse valet consequentia* à l'aide du principe
contraire que *a nosse ad esse valet consequentia*.
Bref, dès qu'elle prétend signifier autre chose que
réalisme philosophique, l'expression *réalisme critique* est contradictoire. Le seul cas où elle ne
le soit pas est celui où elle ne signifie rien.

Que se cache-t-il donc derrière l'entreprise du
réalisme immédiat critique? Des intérêts philosophiques assurément légitimes, mais qui se
trompent sur la meilleure manière de s'exprimer.
Tel veut parler la langue de son temps pour
assurer une audience au réalisme; mais les
idéalistes qui l'entendent parler réalisme en langue
idéaliste concluent simplement de là qu'il ne sait
pas de quoi il parle. Tel autre désire éviter que le
réalisme s'offre à la critique idéaliste sous la
forme sans défense d'un réalisme naïf; mais pour

que le réalisme puisse se défendre, il lui faut d'abord exister comme réalisme. La vraie manière d'en assurer l'existence n'est pas d'affubler ce vivant des défroques d'une doctrine morte depuis tantôt trois siècles [1]. C'est vraiment faire la part trop belle à des adversaires qui ne s'intéressent à Descartes que contre le réalisme aristotélicien, que de vouloir, pour se les concilier, habiller ce réalisme à la mode d'un idéalisme vieilli, auquel eux-mêmes ne croient pas et qu'ils refusent d'ailleurs de nommer critique. La vraie manière de se défendre, pour le réalisme classique, c'est de reconquérir son intelligibilité totale et de la manifester.

[1] On ne saurait trop recommander l'étude approfondie du remarquable travail de K. JASPERS, *La pensée de Descartes et la philosophie*, dans *Revue philosophique*, Mai-Août 1937, pp. 39-148. Nous avons défini notre propre point de vue dans : E. GILSON, *The Unity of philosophical Experience*, Ch. Scribners, New-York, 1937.

CHAPITRE III

LE RÉALISME DU « JE SUIS »

Si l'on renonce à atteindre le réel par voie d'inférence, et si l'on maintient en même temps que le réalisme doit être critique, la seule issue concevable à la position que crée cette double exigence, est celle qui passe par le *Cogito*. Peu importe en effet la nature de l'être que la pensée appréhende; pourvu que l'appréhension en soit évidente, la pensée y trouvera la garantie immédiate de son aptitude à saisir toute réalité quelle qu'elle soit. Or, trouver cette garantie, c'est résoudre le problème critique. Si donc elle ne se trouve que dans le *Cogito*, c'est nécessairement à l'appréhension immédiate de la pensée par elle-même qu'il faut recourir.

La nécessité d'en passer par là semble s'être imposée à la pensée du P. G. Picard comme l'unique remède aux prétentions opposées des scepticismes de toutes nuances et de ce qu'il nomme le dogmatisme absolu. Par le terme de scepticisme, le P. Picard désigne toute doctrine qui juge impossible d'attribuer à aucune connaissance une valeur de nécessité absolue. Il considère donc comme sceptiques, non seulement ceux qui soutiennent qu'on ne sait rien, c'est-à-dire les tenants du scepticisme absolu, mais encore ceux du phénoménisme : tout est apparence; ceux du relativisme : rien n'est absolument vrai; ceux du pragmatisme : les principes de la connaissance sont vrais en tant que commodes et nous avons des *motifs* plutôt que des *raisons* de les accepter. Contre toute forme généralement quelconque de scepticisme, les dogmatistes absolus dressent leurs affirmations massives. « L'esprit, disent-ils, par le fait même qu'il pense, affirme nécessairement et sans doute possible sa propre réalité, en même temps que la réalité de son objet et sa compétence essentielle relativement à cet objet. Penser, en effet, c'est poser l'être et se poser soi-même comme faculté de l'être. Par cela seul donc que la pensée est la pensée, l'esprit affirme l'être et s'affirme lui-même comme faculté de l'être, ce qui revient à l'affirmation nécessaire de la valeur objective de la raison [1]. » Pour tout dogmatiste de ce genre, il est donc strictement vrai de dire que le problème de la valeur de la connaissance ne peut même pas être posé; le seul problème qui subsiste en pareil cas consiste à chercher quelles sont, parmi nos affirmations, celles qui correspondent à des réalités en soi; ce n'est plus alors de critique de la connaissance qu'il s'agit, mais de simple *critériologie*. Qu'il le veuille ou non, l'idéaliste ne peut pas ne pas reconnaître la validité de la raison comme instru-

[1] G. PICARD, *Le problème critique fondamental* (*Archives de Philosophie*, vol. I, cahier 2). Paris, G. Beauchesne, 1923; p. 7.

ment de connaissance, il s'agit seulement, **pour**
lui comme pour le réaliste, de savoir « quel *crite-*
rium nous assure dans les différents cas la recti-
tude de son application [1] ».

Contre cette décision prise par le dogmatisme
utra-intellectualiste d'abandonner comme fictif
le problème critique fondamental, le P. Picard a
dirigé les objections les plus acérées. C'est là,
nous dit-il, confondre un état de fait avec un
problème de droit, dans un cas où c'est avec la
question de droit que la philosophie proprement
dite commence. Tout idéaliste concédera sans
peine qu'une confiance pratique spontanée soit
impliquée dans tout usage normal de la raison,
mais le réaliste admet que cette confiance est
bien fondée, ce que l'idéaliste n'admet pas. « En
somme l'on vous donne comme dernière raison
une *nécessité subjective* d'affirmer alors que nous
aspirons à une *lumière objective* justifiant cette
nécessité. Si l'on ne trouve pas mieux, il faudra
bien s'y tenir; et, même alors, le dogmatisme
aura sur l'idéalisme l'avantage du sens commun,
mais il n'en aura pas d'autre; et, soit contre
l'idéalisme, soit contre des formes du dogmatisme
péchant par excès ou par défaut de réalisme,
il sera insuffisamment armé [2] ».

Il importe de poser le problème avec le
P. Picard lui-même, car son attitude initiale
commande toute sa discussion de la question.
Comme il est aisé de le voir, la préoccupation
principale qui le guide est de ne pas réduire le

[1] G. PICARD, *op. cit.*, p. 8.
[2] G. PICARD, *op. cit.*, p. 10.

réalisme à la seule garantie du sens commun.
La manière la plus simple d'exprimer ce désir,
serait donc de dire que le réalisme doit être
philosophique, car il est clair que les affirmations
brutes du sens commun, si elles méritent pleinement l'attention du philosophe, ne sauraient
être considérées comme ayant elles-mêmes valeur
philosophique. C'est d'ailleurs ce que le P. Picard
lui-même suggère lorsqu'il nous dit : « Ces observations montrent l'importance qu'il y aurait
à posséder une solution *philosophique*, même
imparfaite, du problème critique. Par elle, en
effet, et par elle seule, le *réalisme* pourrait faire
valoir impérieusement son droit de cité philosophique à l'encontre des prétentions exclusives
de l'idéalisme et il posséderait un critérium pour
se critiquer et se limiter lui-même sans apparence
d'arbitraire et sans péril de scepticisme [1]. » Une
fois de plus, nous avons affaire avec un réalisme
qui se prétend *critique* parce qu'il se veut simplement *philosophique*, et nous retrouverons les
oppositions de termes déjà connues : un réalisme
est nécessairement soit critique, philosophique et
réfléchi, soit de sens commun, infraphilosophique
et naïf. Bref, la possibilité d'un réalisme philosophique et réfléchi, mais non critique, se trouve
éliminée par la position même de la question.

C'est pourtant elle qui est en cause, et la
négation, ou l'oubli, de sa possibilité fausse dès le
début toute la justification du réalisme critique
à laquelle nous allons assister. Les options qu'elle

---

[1] G. Picard, *op. cit.*, p. 11.

nous met en demeure d'accepter sont de fausses
options, parce qu'elles excluent sans discussion
l'une des attitudes possibles à l'égard du problème
de la connaissance. De là le sentiment que l'on
éprouve d'une dialectique constamment occupée
à réfuter ce que nul ne soutient et à vaincre des
ennemis imaginaires. S'il est des dogmatistes
absolus qui soutiennent que le problème de la
valeur de la connaissance ne peut pas être posé,
qu'on leur rappelle simplement qu'il y a nombre
de philosophes pour lesquels il se pose; mais cette
réponse ne vaudra nullement contre ceux qui
soutiennent qu'une philosophie *réaliste* ne peut
pas se poser le problème *critique* de la connaissance. Il va de soi que toute philosophie peut et
doit se poser le problème de la connaissance,
ainsi que l'ont d'ailleurs fait Platon, Aristote,
saint Thomas et tant d'autres penseurs du moyen
âge. Comme le disait saint Thomas, le problème
de la vérité relève de la métaphysique, donc c'est
un problème; il est également accordé que les
idéalistes peuvent poser ce problème sur le plan
de la critique; ce qu'il s'agit de savoir, c'est si
une philosophie réaliste peut poursuivre une critique de la connaissance, ce qui est une tout autre
question. Pour que le réalisme puisse faire valoir
ses droits contre l'idéalisme, il lui suffira d'être
philosophique; on ne saurait exiger de lui qu'il
se fasse en même temps critique, à moins d'identifier philosophie et critique, s'accordant ainsi
d'avance la conclusion même que l'on prétendait
démontrer[1].

[1] Il est plus difficile de situer quelque part la tentative

Ces réserves faites, il n'est que juste de suivre
le P. Picard dans sa tentative et de voir à l'œuvre
le réalisme critique dont il vient d'affirmer la
nécessité. On aurait d'ailleurs mauvaise grâce
à s'abstenir, car l'opération n'est ni longue ni
difficile à suivre : « Dans tous nos états psychologiques, nous saisissons à même et sans doute
possible, par la réflexion concrète concomitante,
le moi existant et ses faits de conscience présents ;
cette connaissance immédiate du moi n'est pas
de l'ordre purement empirique, mais absolu ;
c'est une expérience qui nous révèle la réalité
même du moi, et non pas seulement son apparence
et qui, en même temps, nous met en possession
de la véracité essentielle de notre esprit [1]. » On
découvre immédiatement que cette philosophie
critique ne reculera devant aucun dogmatisme,
mais cherchons à voir de quels éléments essentiels
elle se compose.

Elle s'appuie d'abord sur une observation
personnelle, celle du moi et de ses faits de conscience présents. Cette observation suppose une
réflexion du moi pensant sur lui-même, mais c'est

---

analogue de R. JOLIVET, *Le Thomisme et la critique de la connaissance*, Desclée De Brouwer, Paris, 1933. Je dois avouer sincèrement que je n'arrive pas à comprendre ce qu'objecte l'auteur.
Après avoir observé que j'ai souvent insisté sur le fait que c'est
la méthode mathématique préconisée par Descartes qui a engen-
dré son idéalisme, et même le constitue (p. 12), M. R. Jolivet
déclare ne pouvoir m'accorder que le *Cogito*, comme tel, soit
au principe de l'idéalisme (p. 19). Comment pourrais-je avoir
soutenu les deux à la fois? Je n'ai cessé de dire, et d'expliquer
que puisqu'il avait décidé d'aller, comme les mathématiciens,
de la pensée à l'être, Descartes ne pouvait plus trouver d'autre
point de départ métaphysique que le *Cogito*.

[1] G. PICARD, *op. cit.*, p. 46.

une réflexion *concrète*, parce qu'elle porte sur un
fait observable : la réalité du sujet pensant, non
sur quelque notion abstraite comme serait celle
de la pensée en général, ou même celle du *moi*.
Cette réflexion conduit donc à la saisie du moi
existant, pris dans sa réalité concrète et formant,
avec son activité consciente actuelle, « un bloc
vivant, objectif, se posant absolument, saisi à
même[1] ». En d'autres termes, il s'agit là d'une
sorte d'intuition, confuse à la vérité et plus semblable peut-être à un toucher qu'à une vue, mais
qui saisit directement un être, non une simple
abstraction. Une telle connaissance suffit à ruiner
le doute universel et à nous assurer de la valeur
objective de notre connaissance, au moins dans
l'ordre de l'intuition.

Mais on peut aller plus loin. Du fait que cette
connaissance immédiate du moi en atteint la
réalité absolue, et non point seulement l'apparence, il suit que le phénoménisme est surmonté en
même temps que le scepticisme. Il ne l'est pourtant que grâce à cette intuition du moi, car le
seul absolu qui puisse être atteint directement
par la pensée, c'est celui du moi pensant. Ainsi,
c'est *dans la mesure même où nous avons l'intuition
du moi que nous avons l'intuition de l'être ;* et cette
intuition de l'être, qui est, en elle-même, claire-
confuse comme celle du moi, nous met en possession de l'absolu, justifie l'évidence des principes
premiers et nous fait expérimenter la véracité
essentielle de notre esprit[2]. » Une fois assurés

[1] G. PICARD, *op. cit.,* p. 47.
[2] G. PICARD, *op. cit.,* p. 59.

de cette certitude première, il nous devient en
effet facile d'opérer, à partir de l'intuition de
l'être du moi, une véritable déduction critique
des principes de la connaissance. L'identité de
l'être avec lui-même et sa négation de ce qui
n'est pas lui nous livrent immédiatement les
principes d'identité et de contradiction; la suffi-
sance dynamique de l'être nous livre le principe
de raison suffisante, non seulement comme fait,
mais comme loi nécessaire de l'être. Il restera
enfin à constater que ce qui appartient au moi,
saisi en tant qu'être, doit appartenir universellement à tout ce qui est. Les premiers principes se
trouvent ainsi, d'une part, fondés sur l'intuition
du *Je suis* qui nous livre ce caractère absolu de
l'être, à savoir qu'il est; d'autre part universalisés
et transformés en lois de tout l'être, c'est-à-dire
posés comme universellement applicables à toute
réalité [1].

Rien n'est plus séduisant que cette manière
aisée et un peu cavalière de fonder la valeur de
notre connaissance sur une seule expérience
métaphysique. Tant qu'on se laisse entraîner par
l'aisance d'un tel mouvement, on ne peut qu'en
être charmé; mais les choses s'obscurcissent dès
que l'on s'arrête pour réfléchir. Ce qui, dans une
telle entreprise, frappe d'abord un esprit formé
par l'histoire, c'est qu'elle est de style compo-
site. Il s'agit en effet ici de justifier la valeur de
l'être, premier principe de la philosophie d'Aristote, à l'aide du *Je pense, donc je suis*, premier

G. Picard, *op. cit.*, pp. 66-67.

principe de la philosophie de Descartes. Je
n'ignore pas quel dédain certains philosophes
professent pour l'histoire de la philosophie, mais
plusieurs ont payé cher l'oubli de ses enseigne-
ments. Il s'agit en effet de savoir s'il y a, oui ou
non, des nécessités de pensée que l'histoire de
la philosophie nous révèle et que toute spéculation
dogmatique, une fois qu'elle en est avertie par
l'histoire, a le devoir strict de respecter. Ainsi
posée par l'historien, la question dépasse de loin
le plan de l'anecdote, et c'est au contraire l'as-
pirant philosophe, mal informé des règles du
jeu qu'il joue, qui se trouve bientôt conduit à
prendre pour de simples contingences historiques
les essences métaphysiques les plus nécessaires.

Le P. Picard ne pouvait pas ne pas percevoir
l'aspect paradoxal de son entreprise : justifier
par une méthode d'allure cartésienne cette métaphysique de l'être que la méthode de Descartes
se proposait de remplacer. Il s'est donc demandé
pourquoi saint Thomas s'est cru dispensé de
suivre cette méthode. A l'objection « saint Thomas
ne l'a pas dit », le P. Picard réplique qu'on peut
pourtant trouver dans ses écrits des affirmations
qui lui soient favorables, que d'ailleurs les textes
de saint Thomas, ne sont pas la donnée exclusive
de toute réflexion philosophique, mais surtout
« que saint Thomas, n'ayant pas posé la question
critique fondamentale, n'avait pas à y répondre[1] ».
Nous, au contraire, nous posons cette question
critique fondamentale, il faut donc bien, pour y

[1] G. Picard, op. cit., p. 78.

répondre, que nous disions quelque chose que
saint Thomas n'a jamais dit.

La réponse est fort juste, et elle réglerait le
problème s'il ne restait à se demander *pourquoi*
saint Thomas n'a pas posé la question critique
fondamentale. Sur ce point, le P. Picard s'accorde
de merveilleuses facilités, dignes de l'historicisme
le plus simpliste. Si les scolastiques n'ont pas
traité ces questions, c'est, nous dit-il, qu'ils n'y
furent pas « amenés par les circonstances [1] ».
Admirable euphémisme, si l'on se souvient qu'en
l'espèce les « circonstances » se nomment Descartes
et la mathématique universelle, Kant et la physique mathématique de Newton. La question
pourtant n'est pas là. Elle n'est même pas de
savoir si le réalisme aristotélicien est ou n'est
pas resté une vérité en l'air jusqu'au jour où
le P. Picard s'est aperçu que le principe cartésien,
conçu pour le détruire, était au contraire l'unique
moyen de le justifier; elle consiste exactement
pour nous à savoir si le réalisme aristotélicien de
l'être peut et doit chercher dans l'intuition du
moi son ultime justification. Sans doute il est bien
vrai que si le réalisme thomiste ne s'est pas posé
la question, la réponse n'est évidemment pas
de celles que l'on peut espérer trouver dans
saint Thomas; mais il y a peut-être une raison
pour qu'en fait saint Thomas n'ait pas posé la
question, et cette raison pourrait bien être qu'en
droit, dans un réalisme philosophique, la question
ne doit pas se poser. Les appels les plus pathé-

[1] G. PICARD, *op. cit.*, p. 60, note 1.

tiques à la sincérité radicale nous trouveront alors obstinément sourds et nous pourrons les négliger sans forfaire à l'honneur philosophique, car il n'y a aucun manque de sincérité à refuser de poser une question qui n'a pas de sens; si elle n'en a réellement pas, elle est impossible, et à l'impossible nul n'est tenu [1].

[1] L'effort le plus sérieux et le plus instructif pour donner à cette rhétorique de la sincérité une portée philosophique a été fait par R. VERNEAUX, *La sincérité critique chez Descartes*, dans *Archives de philosophie*, Paris, G. Beauchesne, 1937, pp. 95-180. C'est un travail remarquable qui survivra certainement à sa conclusion. La rigueur même de sa pensée conduit M. R. Verneaux à réclamer une philosophie critique parfaitement sincère, *mais* : 1° qui ne soit pas une tentative de doute; 2° qui ne se réduise pas à l'examen des jugements d'existence; 3° qui explicite ses présupposés : logique, raison, idée de vérité, science, méthodes et actes de connaissance; 4° qui ne parte pas d'un simple *cogito*, mais d'un *cognosco ;* 5° qui requiert l'analyse réflexive comme nécessaire, mais ne la tienne pas pour suffisante, et lui adjoigne une *analyse ontologique* chargée de chercher dans l'objet connu les principes nécessaires pour expliquer son intelligibilité. Il suit de là que l'office propre de la critique serait d'opérer la jonction entre l'analyse du sujet, qui est une *psychologie*, et celle de l'objet, qui est une *ontologie*. « C'est peu, mais il y va de tout » (p. 180). A quoi nous ajouterons seulement que tout cela est strictement vrai, précisément parce que c'est l'exclusion rigoureuse de toute critique de la connaissance. C'est une analyse réflexive des conditions totales de la connaissance, qui s'accorde comme donné tout ce qui est en effet donné, tant dans l'objet que dans le sujet. C'est donc une théorie complète de la connaissance : une noétique réaliste complétée par son épistémologie. Et c'est parfait ainsi. Pourtant, s'il devient par là possible de critiquer *les* connaissances au nom d'une théorie de *la* connaissance ainsi constituée, pas un seul instant on n'aura critiqué la connaissance même, dont le réalisme, ainsi que celui de toutes ses conditions, est accepté sans discussion avant toute analyse. Nous aurons à revenir sur la notion même de critique de la connaissance. Pour le moment, notons seulement que M. R. Verneaux, qui est bien le dernier à qui l'on puisse prétendre enseigner ce qu'elle veut dire, ne fait ici rien de plus que maintenir le mot après avoir totalement éliminé la chose.

En fait, les exhortations rhétoriques du
P. Picard sont un piège auquel il s'est pris le
premier. Chaque fois qu'un réaliste nous adjure
de poser le problème critique, on peut l'inviter
à payer lui-même d'exemple. Il se produit régu-
lièrement alors ceci, que pour assurer son réalisme,
notre philosophe s'accorde d'abord sans discussion
tout ce que la critique met en question, et que
pour justifier ensuite ses prétentions critiques,
il mettra au moins un doigt dans quelque engrenage idéaliste où son réalisme devra passer tout
entier.

L'exemple du P. Picard illustre à merveille
cette règle générale. Au premier abord, ses
ambitions apparaissent modestes. Non seulement
il n'éprouve aucun doute réel sur le fait même
de la valeur de notre raison, mais il ne doute
même pas réellement de la valeur des assertions
du sens commun. Tout ce qu'il se propose, c'est
de transformer ces certitudes de sens commun en
certitudes philosophiques. Dessein fort louable,
assurément, mais qui ne nous engage à nulle
attitude critique, à moins que l'on ne réduise
toute la spéculation pré-cartésienne au niveau
du sens commun, et que l'on date du *Cogito* les
débuts de la philosophie. Ajoutons à cela que le
P. Picard, bien qu'il entende poser le problème

Accordons-lui donc le mot, pour lui faire plaisir; nul n'aura
plus fait que lui pour en interdire l'abus, puisqu'il pose comme
condition, pour qu'une théorie réaliste de la connaissance puisse
se dire critique que son criticisme se réduise à la jonction de deux
dogmatismes, eux-mêmes soustraits d'avance à toute critique.
Autant dire que l'expression « réalisme critique » est acceptable,
à condition que le mot *critique* n'y signifie rien.

critique fondamental, ne cherchera pas plus que
saint Thomas à prouver que notre esprit est
compétent pour atteindre l'être ; il veut seulement déterminer dans quel cas nous sommes
certains que notre esprit l'atteint. Sur quoi
l'on observera que, jusqu'à présent, aucun problème critique n'a été posé touchant la valeur de
la connaissance. On sait d'avance qu'elle peut
atteindre un en soi ; le seul problème qui se pose
ici est de savoir quelles connaissances sont valides
et quelles autres ne le sont pas.

Du moins serait-ce là le seul problème si, du
fait qu'elle joue à la fois sur le tableau thomiste
et sur le tableau cartésien, la pensée du P. Picard
ne souffrait d'une ambiguïté fondamentale :
celle qui tient au double sens du mot *principe*
dans le réalisme thomiste authentique et dans la
version de ce réalisme que Descartes en a proposée.
Pour saint Thomas, comme pour Aristote, le
principe d'identité est une nécessité absolue de
pensée parce que l'identité est une nécessité
intrinsèque du réel ; pour Descartes, ce principe
n'exprime qu'une nécessité abstraite et purement
formelle de la pensée. On peut donc user de ce
principe comme d'un point de départ fécond
dans un réalisme empiriste de type aristotélicien,
où l'expérience sensible vient sans cesse nourrir
et régler ses applications concrètes, mais on ne
peut rien en tirer dans un réalisme de type cartésien, aucune méthode *a priori* et de type mathématique ne pouvant extraire d'une formule
vide ce qui n'y est pas contenu. En d'autres
termes, la notion d'être et le principe d'identité

restent bien des principes abstraits et des régulateurs formels de la pensée dans le cartésianisme,
mais ils ne peuvent y être des principes au sens
de « commencement », ou de « point de départ ».
C'est pourquoi, au lieu que l'être était à la fois
premier principe et point de départ du réalisme
aristotélicien, il reste un principe dans le réalisme
de Descartes, mais n'est plus un point de départ.
Le premier principe cartésien, c'est la première
réalité évidemment connaissable par la méthode
cartésienne : la pensée, à laquelle l'être s'applique
de suite pour en faire une « chose qui pense »,
mais que nulle considération abstraite de l'être
ne suffirait à nous livrer. Car l'être est pour Descartes une forme vide et nulle méditation n'y
trouvera jamais rien.

C'est ici qu'il devient nécessaire de choisir
et de savoir exactement ce que l'on se propose
de faire. « Notre but », écrit le P. Picard, « étant
d'établir philosophiquement l'aptitude même de
notre esprit au vrai... [1] ». En quel sens l'entend-on ?
Nullement, on l'a vu, en ce sens qu'il s'agirait
de justifier *a priori* l'aptitude de la pensée à
la connaissance, entreprise absurde où ni le
P. Picard, ni Descartes, ni Kant ne se sont jamais
engagés. Si c'était cela, la critique, il n'y aurait
jamais eu et il ne pourrait jamais y avoir de
philosophie critique, pas plus pour l'idéalisme
que pour le réalisme ; elle se réduirait tout au plus
à une réduction à l'absurde du scepticisme comme
celle qu'Aristote a depuis longtemps effectuée.

[1] G. PICARD, *op. cit.*, p. 44.

Le véritable but du P. Picard, c'est d'établir
qu'il y a au moins un cas où l'esprit atteint le
vrai, donc la connaissance, parce qu'il y a au
moins un cas où l'esprit atteint l'être. Bref,
établir l'aptitude de notre esprit au vrai, c'est
prouver expérimentalement qu'il atteint l'être,
en exhibant le cas privilégié où le succès de l'entreprise ne peut être contesté.

Rien de mieux, mais en quel sens va-t-il encore
s'agir de critique? Si l'on veut se tenir sur le
terrain du réalisme, il va falloir procéder comme
Descartes, c'est-à-dire suivre une méthode idéaliste, mais non critique. Je pense, donc je suis une
chose qui pense, ou un être dont toute la substance
n'est que de penser. Ainsi procède le cartésianisme et, depuis Hume et Kant, on le lui a assez
reproché. Pour justifier ce substantialisme de la
pensée, il faut s'accorder, ainsi que le fait le
P. Picard, une intuition directe de la substance
pensante elle-même, et Descartes lui donnait
d'avance raison, mais on ne peut s'empêcher de
se demander si, d'avance aussi, saint Thomas
ne lui aurait pas donné tort. On comprend sans
peine pourquoi, autour du P. Picard, on s'est
activement employé à prouver que saint Thomas
admettait une connaissance, ou plutôt une perception expérimentale de l'âme par elle-même [1].
Il le fallait bien, si l'on voulait permettre au

---

[1] B. ROMEYER, *Notre science de l'esprit humain d'après
saint Thomas d'Aquin* dans *Archives de Philosophie* vol. I,
cahier 1; G. Beauchesne, Paris, 1923, pp. 32-55. — Du même :
Saint Thomas et notre connaissance de l'esprit humain, dans
Archives de Philosophie vol. VI, cahier 2; G. Beauchesne,
Paris, 1928.

thomisme de se fonder sur le *Cogito*[1]. Nous
n'éclaircirions rien en greffant ici cette deuxième
question sur la première ; disons seulement que
le problème se pose et que bien des textes formels
de saint Thomas rendent difficile de croire qu'il
ait jamais admis une intuition directe, quoique
confuse, de l'essence de l'âme par elle-même.
Tout son empirisme sensible s'y opposait : « ut
scilicet per objecta cognoscamus actus, et per
actus potentias, et per potentias essentiam animae ;
*si autem directe essentiam suam cognosceret anima
per seipsam*, esset contrarius ordo servandus
in animae cognitione [2] ». Et encore : « Mens nostra
non potest seipsam intelligere ita quod seipsam

---

[1] Pour ne pas alourdir à l'excès notre discussion, nous exa-
minerons le « Je suis » du P. Picard en rapport avec le *Cogito* de
Descartes. Lui-même nous y invite, et c'est ce qui nous autorise
à le faire après lui. Il faut pourtant ajouter que le P. Picard
se réclame tout autant de saint Thomas, de Maine de Biran
et de saint Augustin (*op. cit.*, pp. 67-75). La moindre discussion
de ces textes, dont le P. Picard fait un usage si sommaire, eût
occupé beaucoup plus de place que lui-même ne leur en accorde.
On sait ce que nous pensons du cas de saint Thomas qui, comme
tout le monde, admet l'évidence du *Cogito*, mais ne lui subor-
donne en rien celle de l'intuition sensible, ce qui est précisément
la question. Quant à saint Augustin, il use incontestablement
du *Cogito* comme d'un point de départ pour la spéculation
métaphysique et il y trouve une réfutation directe du scepticisme
par intuition évidente d'une réalité spirituelle ; mais si l'augus-
tinisme contient une critique, c'est cette critique platonicienne
de la connaissance sensible contre laquelle a si vigoureusement
réagi saint Thomas, auquel on veut pourtant ici l'associer.
Quelles que soient d'ailleurs les raisons pour lesquelles le P. Picard
invoque ces autorités disparates, il est clair que si le *Cogito* de
Descartes n'avait pas existé, jamais personne n'aurait songé à
chercher, dans l'œuvre de saint Augustin et de saint Thomas,
de quoi résoudre un problème dont on admet qu'ils ne l'ont
jamais posé.

[2] Saint THOMAS D'AQUIN, *De anima*, lib. II, lect. 6, éd. Pirotta,
n. 308.

immediate apprehendat [1] ». Si, comme il semble
bien, de tels textes affirment qu'une intuition
immédiate du sujet pensant est chose impossible, on devra conclure que bien loin d'introduire
dans le thomisme un problème critique en le
fondant sur l'intuition directe de l'être pensant,
on élimine par là du thomisme les éléments qui
y rendent une telle intuition impossible. Pour
parler plus exactement, on aura substitué le
dogmatisme cartésien à un dogmatisme pseudo-
thomiste, sans que la critique y ait gagné quoi
que ce soit. Ajoutons pourtant que, ce faisant, on
aura irrémédiablement compromis le réalisme
thomiste, et c'est ici que l'inévitable deuxième
scène de ces petites comédies va commencer de
se dérouler. Qu'il n'y ait rien de critique dans
une doctrine qui s'accorde sans discussion une
intuition de l'être absolu du sujet pensant, on
vient de le voir; mais à défaut de tout criticisme,
on vient d'introduire une méthode idéaliste dans
le réalisme thomiste, un *ordo contrarius* à son
essence, qui va la ruiner sous prétexte de la mieux
justifier.

Saint Thomas considère l'existence du monde
extérieur comme évidente, il n'éprouve donc nul
besoin de passer par le *Cogito;* non que le *Cogito*
ne soit, lui aussi, une évidence, mais parce qu'il
ne conditionne pas notre certitude de l'existence du monde extérieur. Descartes, au contraire, considère que l'existence du monde extérieur n'est pas une évidence; il part donc

[1] Saint Thomas d'Aquin, *Quaest. disp. de veritate*, qu. X,
art. 8, Resp.

du seul jugement d'existence évident qui lui reste,
le *Je pense, donc je suis*. Ces deux doctrines suivent
donc des ordres opposés, mais ces deux ordres
sont du moins conformes à leurs essences respec-
tives, qui sont, elles aussi, opposées. Le fait
empirique brut que saint Thomas et Descartes ont
suivi des méthodes de sens inverse ne nous appren-
drait rien, s'il n'exprimait concrètement certaines
nécessités métaphysiques, et d'abord celle-ci :
la seule raison que l'on puisse avoir de choisir
le *Cogito* comme point de départ de la philosophie,
est qu'on lui attribue une évidence privilégiée.
Ainsi l'entendait Descartes, mais puisqu'il l'entendait ainsi contre le réalisme thomiste, c'est
une entreprise contradictoire que de vouloir tirer
de sa méthode les conclusions de saint Thomas
d'Aquin.

Rien ne pouvait soustraire le P. Picard aux
conséquences inévitables de ses principes. Les
pages où il cherche, dans les textes de saint
Thomas et d'autres Docteurs scolastiques, de
quoi résoudre un problème qui « n'existait pas
pour eux », ne relèvent à proprement parler ni
de la philosophie, ni de son histoire. Il ne s'agit
là de rien autre que d'extraire de leurs textes la
négation même de ce qu'ils ont toujours enseigné.
Car il n'est pas vrai que l'on puisse introduire une
méthode cartésienne dans le vide que l'absence
du problème critique laisserait dans leurs doctrines ; pour réussir cette opération, il faut d'abord
détruire l'œuvre positive qu'ils ont accomplie.
Rien n'est plus instructif que les illusions du
P. Picard à cet égard. Avec la plus parfaite

naïveté il croit sincèrement que les scolastiques
n'ont jamais pris la peine de justifier les principes
en les considérant dans leur source, « ou, comme
on dirait aujourd'hui, d'en faire la *déduction* [1] ».
Les scolastiques l'ont pourtant fait, mais à partir
de l'être, qui, était leur premier principe, et non
à partir du *Cogito* [2]. Une fois le *Cogito* introduit
dans leur réalisme, il faut bien justifier le privilège qu'on lui accorde, et on ne peut le faire
qu'en dépréciant la connaissance sensible au
profit de quelque intuition intellectuelle de type
plus ou moins cartésien. Agir ainsi, ce n'est pas
combler une lacune du réalisme aristotélicien,
c'est en nier l'essence même. Or le P. Picard a
dû aller jusque là lorsqu'il écrivait, en un sens
authentiquement cartésien : « A la différence de
l'intuition sensible qui n'est qu'empirique, au
mauvais sens du mot, et qui par suite, même
pendant qu'elle s'impose invinciblement à la
sensibilité, reste exposée au doute que peut
élever l'intelligence sur sa valeur absolue, c'est-
à-dire sur son droit à entraîner l'assentiment
catégorique, cette saisie de l'être dans la conscience
du moi, tant qu'elle se maintient dans le plan
intuitif, résiste victorieusement à toutes les
tentatives de doute : elle est un toucher de l'esprit,
une expérience métaphysique [3]. »

---

[1] G. Picard, *op. cit.*, p. 60, note 1.

[2] « Naturaliter igitur intellectus noster cognoscit ens et ea
quae sunt per se entis in quantum hujusmodi; in qua cognitione
fundatur primorum principiorum notitia, ut non esse simul-
affirmare et negare, et alia hujusmodi ». S. Thomas d'Aquin
Cont. Gent., lib. II, cap. 83.

[3] G. Picard, *op. cit.*, pp. 59-60.

Rien de plus clair et nous savons dès lors où nous en sommes, mais il suit d'abord de là que l'intuition sensible se trouve disqualifiée, comme ne suffisant pas à assurer seule l'existence de son objet. Or on peut soutenir, comme l'a fait Descartes, que l'évidence du *Cogito* est requise pour garantir pleinement l'existence du monde extérieur, mais il est impossible de présenter cette requête au nom du réalisme aristotélicien et thomiste, où la validité de la connaissance sensible est inconditionnellement acceptée. Si l'expérience sensible ne s'accompagne pas d'une évidence spécifique suffisante et plénière; si, laissée seule, elle reste obscurcie par un doute qui ne cède qu'à l'évidence intellectuelle du *Cogito*, on a ouvert au cartésianisme une brèche par laquelle il passera tout entier. Car il devient alors vrai de dire, avec Descartes, que l'âme est plus connue que le corps et qu'il faut donc, sur cette évidence privilégiée de la pensée, construire tout l'édifice de la connaissance selon l'ordre inverse de celui qu'a suivi le réalisme médiéval. Ce sont alors les preuves cartésiennes de l'existence de Dieu qui sont les bonnes, car elles partent de la pensée, et c'est aussi par la pensée que l'existence du monde extérieur devra se prouver.

Le plus extraordinaire n'est pourtant pas là. Il est bien plutôt dans le fait qu'en cette étrange mixture de saint Thomas et de Descartes, l'existence du monde extérieur, frappée de suspicion comme chez Descartes, y est ensuite admise sans plus de difficulté qu'elle l'était chez saint Thomas. Dans cette affaire, Descartes a du moins pour lui la logique. Tenant l'intuition sensible pour douteuse, il entreprend de démontrer que son objet existe. Le P. Picard, au contraire, semble trouver naturel que l'expérience méta- physique du *Cogito*, suffisante pour garantir l'existence de son objet propre, le soit aussi pour garantir l'existence de l'objet propre de l'intuition sensible. Il n'y a pourtant aucun rap- port entre les deux cas. L'expérience métaphy- sique de l'existence de l'être pensant peut suffire à garantir l'aptitude de la connaissance à saisir le réel et à le connaître tel qu'il est, mais elle ne nous autorise nullement à poser comme également valide un ordre d'intuition totalement différent. Je suis, donc x existe, n'est pas une inférence valide. En d'autres termes, du fait que la pensée se sait compétente pour saisir l'être, et qu'elle se découvre telle dans la saisie directe de l'être pensant, il suit bien que, si elle appréhende un autre genre d'être, elle sera aussi compétente pour le connaître, mais il ne suit aucunement de là qu'elle l'appréhende, ni même que cet autre être existe. L'existence du monde extérieur ne peut être pour nous l'objet d'une intuition intellectuelle pure; si donc l'expérience sensible ne suffit pas à la garantir, il faut la démontrer. C'est ce que Descartes avait à faire et ce qu'il a du moins essayé de faire; saint Thomas ne l'a pas fait parce qu'il n'avait pas à le faire, mais le P. Picard avait à le faire et ne semble même pas s'en être aperçu.

Le bilan de cette entreprise métaphysique n'est pas des plus brillants. Il ne pouvait l'être, s'il est vrai qu'elle était contradictoire dans son principe. On est donc en droit de s'étonner qu'elle ait trouvé des imitateurs parmi ceux qui font profession d'interpréter le réalisme du moyen âge au bénéfice des philosophes d'aujourd'hui [1]. Un problème critique fondamental que l'on discute sans même que la notion de critique ait été définie, un réalisme où ce qui était évidence réaliste devient un problème idéaliste, si bien que les conclusions n'en sont plus ni évidentes, comme elles l'étaient pour le réalisme, ni démontrées comme elles l'étaient pour l'idéalisme, voilà ce que l'on offre à nos contemporains pour les ramener aux vérités permanentes de la métaphysique. Tout peut arriver, et même que le P. Picard gagne de nouveaux disciples, mais la philosophie elle-même n'y aura rien gagné.

[1] Voir, par exemple, P. Descoqs, *Institutiones Metaphysicae generalis;* Paris, G. Beauchesne, 1925; t. I, pp. 60-66. L'auteur déclare se rallier entièrement au point de vue du P. Picard et excuse aimablement saint Thomas comme le P. Picard l'avait fait : « Non negamus momentum hujus facti S. Thomam partim latuisse, cum problema criticum tunc temporis non moveretur » (p. 61).

CHAPITRE IV

LE RÉALISME DU « JE PENSE »

Paulo majora canamus ! Entre toutes les tentatives récentes pour constituer un réalisme critique, celle du P. Roland-Gosselin mérite d'occuper une place d'honneur. Il en est de plus ambitieuses, mais non de plus sincères, car son auteur ne se payait pas de mots; il ne voulait pas avoir l'air de réussir, mais réussir. Telle est pourtant la nature de ce problème que la manière même dont on l'aborde décide de sa solution. Le P. Roland-Gosselin a librement écrit les dix premières pages de son livre; ensuite, il n'a plus fait que se battre pour en éviter les conséquences; mais la bataille était perdue d'avance : sans s'en apercevoir, il avait mis bas les armes dès le début de l'engagement.

Il importe donc d'insister sur ces premiers moments de l'entreprise où tout se décide. « L'homme peut être considéré comme une partie de l'univers, et les divers moyens dont il dispose pour connaître se classer à leur place dans ce vaste ensemble comme des aspects ou des principes de l'activité humaine [1]. » Voilà, ajouterons-

[1] M.-D. ROLAND-GOSSELIN, O. P. *Essai d'une étude critique de la connaissance.* I. Introduction et Première Partie (Biblio-

nous pour notre part, la vérité absolue. Un
ensemble d'êtres en rapport les uns avec les autres
et exerçant certaines opérations; parmi ces
êtres, l'homme; entre les opérations qu'il exerce,
la connaissance; la théorie de la connaissance a
précisément pour objet l'étude réfléchie de cette
opération humaine par excellence. Il n'y a rien
à redire contre une telle position de la question.

Mais il fallait s'y tenir; or, dès les lignes
suivantes, on voit le P. Roland-Gosselin s'orienter
vers un terrain beaucoup plus étroit, dans les
limites duquel il s'enferme et considère comme
fatal que nous nous enfermions avec lui : « Mais
pour peu que l'on réfléchisse à la fonction très
particulière exercée par la connaissance dans la
vie de l'homme et plus spécialement dans sa
vie spéculative, c'est-à-dire dans les sciences les
plus désintéressées et la philosophie, l'on se
rend compte que l'étude de la connaissance ne
peut être simplement une science à côté d'autres
sciences, parce que précisément son objet n'est
pas un objet à côté d'autres objets. Son objet
à elle, c'est la connaissance même. Or, la connaissance est le moyen d'atteindre tout objet [1]. »

Impossible de mieux exprimer, non pas la
manière moderne de concevoir le problème de
la connaissance, mais la manière de le sentir.

thèque Thomiste, XVII); Paris, J. Vrin, 1932; p. 9. C'est
la première phrase de l'introduction. — Cf. J. JACQUES, *La
méthode de l'épistémologie et l'Essai critique du P. Roland-Gosselin*, dans *Revue Néoscolastique de Philosophie*, t. XL (1937),
pp. 412-440.
    [1] M.-D. ROLAND-GOSSELIN, *op. cit.*, p. 9.

Les écoles opèrent aujourd'hui dans une atmosphère saturée d'idéalisme, à tel point qu'une position réaliste des problèmes y est devenue quasi
inconcevable. A plus forte raison l'est-elle lorsqu'il
s'agit du problème de la connaissance. Il semble
pourtant vrai de dire que, dès le début de son
essai, le P. Roland-Gosselin vient de se rendre
impossible toute solution réaliste de ce problème.
Nous étions partis de l'homme considéré comme
membre d'un univers dont lui et ses moyens
de connaître ne sont que des parties. C'est
l'évidence même, et c'est aussi la position réaliste
authentique de la question. Mis à sa place dans
l'ensemble des choses, l'homme en est solidaire; ainsi conçue comme l'une des opérations
de ce fragment de l'univers qu'est l'homme, la
connaissance n'en est pas moins solidaire que lui.
Il est vrai que la connaissance est pour nous le
moyen d'atteindre tout objet, fût-ce le problème
même de la connaissance, mais il ne suit aucunement de là que la connaissance ne soit pas un
objet à côté d'autres objets, ni que son étude ne
puisse être simplement une science à côté d'autres
sciences. La conséquence ne suit pas, du moins
si l'on ne pose pas le problème de la connaissance
comme déjà résolu dans le sens de l'idéalisme.
Car il faudrait d'abord savoir de quoi l'on parle
lorsqu'on pose la connaissance comme un objet.
Où rencontre-t-on la connaissance à part d'un
sujet connaissant? Sans doute, on dira que ce
sujet connaissant ne s'atteint lui-même que comme
objet de connaissance; mais ce n'est pas vrai;
à moins, encore une fois, que l'on ne suppose

le débat tranché en faveur de l'idéalisme, la
vérité est simplement que le sujet connaissant
s'atteint lui-même, par la connaissance, comme
un sujet distinct de cette connaissance même.
S'il en est ainsi, le privilège unique que l'on veut
attribuer à la connaissance et à la science dont
elle est l'objet, ne répond à aucune nécessité
de pensée. Il est bien vrai que si l'homme
n'était pas doué de connaissance, aucun objet
ne nous serait donné, mais il est également
vrai que si nul objet ne nous était donné, il n'y
aurait pas de connaissance. Voilà donc l'option
initiale à laquelle il est impossible d'échapper :
concevoir l'homme comme un être capable
de connaître d'autres êtres, ou abstraire de ce
sujet réel qu'est l'homme son pouvoir de connaître, puis réaliser à part cette abstraction,
et conférer enfin à la fonction ainsi abstraite
le privilège exorbitant de mettre en question
à la fois l'existence du sujet réel qui l'exerce et
celle des autres êtres sans lesquels elle ne pourrait
s'exercer. Que le deuxième choix soit arbitraire
et qu'il ne puisse prétendre se poser comme nécessaire qu'au prix d'un ou plusieurs sophismes,
c'est ce que soutiendra tout philosophe réaliste.
Le P. Roland-Gosselin ne s'en est pas aperçu ; il
ne pouvait donc que s'engager dans la voie d'un
idéalisme dont les conclusions lui répugnaient
à tel point que sa seule raison d'écrire était de
les réfuter, mais qu'il lui devenait dès lors impossible d'éviter.

A partir de ce point, en effet, les conséquences
vont s'enchaîner avec la nécessité propre aux

relations métaphysiques. Nous venons, par hypothèse, de poser à part « la connaissance » comme le moyen d'atteindre tout objet. Il est clair qu'une fois cette abstraction réalisée, elle va nous dispenser de toute la réalité; car d'abord elle en est une, puisqu'on vient de la poser à part, et ensuite elle contient tout le reste, puisque rien n'existe pour nous que par elle et en elle; il n'y a donc aucune raison ni aucun moyen d'en sortir. Voici en effet la connaissance érigée en condition de tout le reste; si donc « la pensée me fait défaut, le monde peut bien poursuivre son cours, je n'en saurai rien, je me désintéresserai de lui et de moi-même. Rien ne sera plus pour moi [1] ». D'où il suit, non pas encore que ce qui n'existe plus pour moi n'existe pas en soi, mais que, sur le plan propre de l'épistémologie, « notre conception de la réalité, comme aussi bien notre conception de la science, dépendent inévitablement de notre conception de la connaissance en général, de sa nature, de son pouvoir, de sa valeur ».

Ce renversement initial de la position réaliste du problème entraîne nécessairement un renversement analogue de la hiérarchie des sciences. Là où toute question porte d'abord sur l'être, la science suprême est celle de l'être en tant qu'être : tout réalisme véritable implique donc la reconnaissance du primat inconditionné de la métaphysique. Là où toute question porte d'abord sur la connaissance, la métaphysique perd sa domination absolue et doit déléguer une partie de

---

[1] M.-D. ROLAND-GOSSELIN, *op. cit.*, p. 10.

ses pouvoirs à la critique. Allons plus loin.
Quelque répugnance que l'on éprouve à l'avouer,
cette position idéaliste du problème implique,
au moins sur le plan de la méthode, le primat
inconditionné de la critique sur la métaphysique.
C'est pourquoi, après nous avoir décrit la philosophie comme un cercle, où l'on peut décider
d'entrer soit par la métaphysique, soit par la
théorie de la connaissance, on finit par reconnaître
que, si l'un ou l'autre choix reste *psychologique-
ment* possible, l'un seul des deux est *logiquement*
valable. « L'histoire témoigne que le mouvement
naturel de l'esprit fut de commencer par la
métaphysique », mais la critique proprement dite
s'est progressivement séparée de la théorie de
l'être où elle était d'abord engagée. Bien loin de
voir dans ce développement tardif un signe du
caractère artificiel du problème critique, on doit
conclure de là qu'il répond à un progrès de l'esprit.
La critique, c'est l'esprit de l'homme réfléchissant
sur soi pour acquérir une connaissance immédiate
de soi-même. « Dès lors, le problème critique
accepté prend *une valeur logique antérieure à
toute métaphysique*, puisqu'il s'interroge sur *la
possibilité de la science et de la métaphysique
elle-même*. Il ne doit pas avoir recours à cette
dernière pour établir la solution qu'il cherche,
tant du moins que n'aura pas été justifiée la
valeur de la connaissance, et montrée la nécessité,
pour connaître l'esprit lui-même, d'une science
de l'être [1]. »

---

[1] *Op. cit.*, p. 11.

Les paroles que nous venons de souligner sont aussi claires que possible, mais on voit de suite quel bouleversement elles font subir au thomisme, dont elles prétendent pourtant « faciliter l'intelligence exacte et soutenir la vitalité parmi nos contemporains [1] ». Par une suite inévitable de ses positions initiales, le P. Roland-Gosselin en arrive ici à rendre l'édifice entier de la connaissance, *y compris la métaphysique*, justiciable d'une seule et unique science, qui est la science de la connaissance. Il le faut bien d'ailleurs, car si cette science existe à part de la métaphysique, elle en devient nécessairement le juge : « La confiance accordée à l'esprit établissant la science et la métaphysique laisse *toujours* place..., après les plus belles réussites, à une inquiétude que ni la science ni même la métaphysique n'ont le moyen d'apaiser. Que valent en définitive ces théories, ces constructions superbes [2] ? » Qui ne reconnaît ici le ton des premières pages de la *Critique de la raison pure*? La question suscitée par l'œuvre de Hume dans l'esprit de Kant vient donc ici réveiller de son sommeil dogmatique jusqu'au réalisme thomiste lui-même, et comme c'est la question de Kant qui se pose, on évitera difficilement de ne pas suivre Kant dans sa solution. Que la pauvre Hécube ait été persécutée par un disciple de Hume, c'était assez naturel; mais on comprendrait qu'elle dît : *Tu quoque...*, en se voyant frappée de déchéance par un disciple de saint Thomas d'Aquin.

---

[1] *Op. cit.*, Avant-propos, p. 7.
[2] *Op. cit.*, p. 12.

Ce n'est pas que le P. Roland-Gosselin ne s'aperçoive du caractère insolite de son entreprise, mais les arguments *a priori* par lesquels il s'efforce de la justifier sont assez inquiétants. En premier lieu, on ne peut lire les premières pages de son livre sans éprouver l'impression qu'au moment où il les écrivait, il pensait avoir résolu le problème du réalisme critique. N'eût été cette conviction absolue, le P. Roland-Gosselin n'aurait pas commis l'imprudence de publier cette première partie de son travail. Il nous le dit d'ailleurs lui-même : la question critique qu'il se pose ne le conduira pas à humilier la raison ni à mépriser la philosophie : « Nous ne pensons pas — on le verra suffisamment par la suite de cet ouvrage — être acculé à cette difficulté[1]. » Or nous allons voir au contraire, que plus il avancera dans son entreprise, plus aussi les difficultés qu'il se flattait de vaincre, peut-être même d'avoir vaincues, lui paraîtront insurmontables. Mais surtout, l'attitude critique dont il se réclamait impliquait pour lui cette difficulté insurmontable immédiate : peut-on, au nom des droits de la critique, subordonner la science de l'être à une discipline supérieure, sans renier toute l'économie de ce réalisme thomiste que l'on espère valider?

A la question ainsi posée, le réalisme critique ne peut que chercher des échappatoires. Les rapports de la critique à la métaphysique, nous dit-on, sont circulaires. Commençons donc par une théorie de l'esprit, et viennent « à être établis

[1] *Op. cit.*, p. 15.

la possibilité et le droit de connaître les lois de l'être en général, alors il sera temps de faire retour des lumières de la métaphysique à la théorie de l'esprit. Nous ne pensons donc pas méconnaître le droit éventuel de la métaphysique à dominer l'étude de la connaissance, en estimant que les premières démarches d'une étude critique de la connaissance doivent logiquement précéder l'établissement d'une théorie de l'être, et en essayant, pour notre part, de tenter cette étude *en dehors de tout présupposé métaphysique*[1]. »

Ce sont là des intentions précises, mais que valent-elles? La hiérarchie aristotélicienne des sciences place à leur sommet la science de l'être, ou métaphysique; cette science juge toutes les autres parce qu'elle est la science des premiers principes et des premières causes, et que le principe absolument premier se trouve précisément être l'être. L'ordre des sciences et l'autorité judiciaire suprême de la métaphysique sont donc indissolublement liés au réalisme de l'être sur lequel repose toute cette philosophie. Si le premier principe est vraiment l'être, la science de l'être est juge de toutes les autres sciences sans être elle-même jugée par aucune. Si, au contraire, il existe une science distincte de la métaphysique, donc aussi qui ne soit pas la science de l'être, et qui, logiquement antérieure à cette dernière, puisse validement se fonder sans faire appel à la métaphysique; davantage, s'il existe une science qui, logiquement antérieure à la métaphysique,

---

[1] *Op. cit.*, p. 12.

en est si complètement indépendante que c'est elle
qui valide la métaphysique, c'est évidemment
elle qui doit occuper le rang suprême parmi les
sciences. Bref, la critique de la connaissance
détrône la métaphysique, qui ne peut subsister
que par son consentement. Et il ne sert de rien
d'objecter, qu'une fois justifiée par la critique,
la métaphysique va justifier à son tour cette
critique. En quoi la critique aurait-elle besoin
d'être justifiée? Si la critique peut justifier la
métaphysique « en dehors de tout présupposé
métaphysique », c'est qu'elle n'a pas besoin de
la métaphysique pour se constituer; si, au
contraire, elle a besoin de la métaphysique pour
se constituer et fonctionner validement, il lui
est impossible de justifier la métaphysique « en
dehors de tout présupposé métaphysique ». Il
faut donc choisir. Deux sciences distinctes ne
peuvent occuper simultanément le rang suprême
à moins que leurs rapports ne forment pas seulement, comme on nous le dit, un cercle, mais
un cercle vicieux.

La justification générale de son entreprise
critique par le P. Roland-Gosselin appelait une
critique générale; il nous faut examiner désormais la manière dont il l'a conduite, c'est-à-dire,
voir l'impossibilité générale dont elle est grevée
s'expliciter en d'innombrables difficultés d'exé-
cution, dont aucune n'est jamais définitivement
surmontée. Il s'agit en effet pour lui de justifier
critiquement le réalisme, ce qui suppose une
critique qui ne donnera aucun gage au réalisme
lui-même, sans pourtant en accorder aucun à

l'idéalisme. Question, dit le P. Roland-Gosselin, qui ne semble pas beaucoup plus difficile à résoudre que n'importe quel problème dont on cherche à savoir s'il peut être résolu, et par quels moyens. Mais c'est bien là qu'est la difficulté, car ce problème-ci diffère de tout autre problème, en ce qu'il porte sur le premier principe. On nous demande d'adopter une attitude qui ne préjuge en rien de la vérité soit de l'idéalisme, soit du réalisme. C'est impossible. Si le premier principe est l'être, ce qui après tout reste au moins possible, *ens est quod primo cadit in intellectu;* n'importe quelle affirmation impliquera donc la position de l'être et tranchera la question en faveur du réalisme. Si, au contraire, on peut constituer une discipline distincte sans poser l'être, l'être n'est pas le premier principe, mais la pensée, et le problème sera immédiatement résolu en faveur de l'idéalisme. De toute manière, on aura pris position.

En présence de cette difficulté fondamentale, le réalisme critique ne peut faire qu'une chose pour ne pas s'avouer mort-né, c'est de reculer par un artifice quelconque le moment de reconnaître qu'il n'est pas né viable. Cet artifice, c'est inévitablement le réalisme qui le fournira, car il est universellement vrai. Il va donc s'agir de trouver un cas où l'esprit atteigne immédiatement un en soi qui ne soit pas celui d'une chose distincte de l'esprit même, ce qui est en effet, non seulement possible, mais légitime. Puisque l'esprit se met tout entier dans chacun de ses actes, on peut être sûr d'avance que l'analyse

de cet acte-là permettra de l'y trouver tout entier,
y compris l'être qui en est le premier principe.
La critique de la connaissance ainsi conçue
durera donc aussi longtemps que cette analyse
même; elle aboutira certainement à justifier
le réalisme *pour le cas en question;* mais lorsqu'il
s'agira de passer ensuite aux autres cas, comment
faire? C'est là toute la difficulté.

Certes, en partant, comme il le fait, d'un objet
de pensée pour ne pas donner de gages au réalisme,
le P. Roland-Gosselin ne nie pas *a priori* l'aptitude de la pensée à atteindre autre chose qu'elle-
même. Il laisse donc ouverte, en droit, la possibilité d'un réalisme du sensible, mais il s'engage
dans une méthode idéaliste dont les intentions
dernières seules sont réalistes. Tant qu'il n'a
pas conscience d'avoir échoué dans cette entreprise, où Descartes lui-même n'a pas réussi,
il peut donc conserver l'illusion de n'avoir encore
donné aucun gage à l'idéalisme. Et il est bien vrai
que l'échec de Descartes lui-même, pris comme
un fait empirique, ne prouve rien. On peut encore,
on pourra *toujours* essayer; mais la plus claire
des raisons qui rendaient l'échec de Descartes
inévitable offre une valeur plus qu'empirique,
car elle ne relève pas seulement de l'histoire
d'*une* philosophie, mais de celle de *la* philosophie même. Ce qu'enseigne ici cette histoire,
c'est qu'un tel problème est *essentiellement*
insol.ble. La nature de sa donnée impose une
certaine méthode, celle même qui s'est imposée
à Descartes, et dont nous avons vu Mgr Noël
reconnaître prudemment l'entrée, en attendant

que le P. G. Picard s'y engageât. C'était encore
et toujours la seule qui demeurât ouverte au
P. Roland-Gosselin. La seule différence est que
son absolue sincérité philosophique ne lui per-
mettait pas de s'en tenir à Descartes; puisqu'il
s'agissait de critique, il devait partir, et c'est
son honneur de l'avoir fait, du *Cogito* de Descartes
revu par Kant.

Il est en effet de l'essence même d'une critique
de la connaissance d'être une réflexion de la pensée
sur la pensée. C'est donc de la pensée qu'elle doit
inévitablement partir et, en ce sens tout à fait
général, elle requiert le *Cogito* comme sa première
démarche. C'est ce qu'avait déjà constaté le
P. Picard; mais en s'accordant aussitôt, avec
Descartes, une sorte d'intuition immédiate de
l'être absolu du sujet pensant, il s'était excessi-
vement facilité les choses. Pour ne rien dire ici
de ce qu'en penserait saint Thomas, on peut
être sûr du moins que la critique de Kant a
formellement nié que cette intuition directe
d'un en soi fût chose possible. La critique du
P. Picard se débarrassait donc sans discussion
de ce que Kant considérait comme le problème
critique par excellence : la raison dépasse-t-elle
le phénomène, même dans l'ordre de la pensée?
Il en va tout autrement dans l'œuvre du
P. Roland-Gosselin, qui n'a jamais oublié qu'il
faut jouer une partie pour pouvoir la gagner.
Partant du *Cogito*, il a clairement vu que la
pensée dont part une critique n'est nullement
celle d'un sujet pensant, mais celle d'une critique.
A moins de s'engager d'emblée dans la méta-

physique, ce qui serait la présupposer, une critique qui n'est que critique ne peut partir que de
soi-même. « Je cherche. Et, au moment où ma
recherche commence, je puis la considérer comme
première par rapport à tous les actes qui vont
en dépendre. Elle les oriente tous [1]. » Ainsi, la
crainte du réalisme est si bien ici le commencement de la sagesse, que nous allons partir du
Cogito de Descartes revu par Hume et par Kant.
Car il est vrai que le Cogito reste inévitable et
la certitude de son existence indéniable, mais
« comme acte, et non pas comme substance [2] ».
Bref, il y a recherche, et c'est pour le moment
tout ce que l'on peut dire, car ce serait aller trop
loin que d'en conclure : la critique existe, donc
je suis.

Nourri, comme il l'avait été, aux meilleures
traditions scolastiques, le P. Roland-Gosselin
allait tirer de cette maigre donnée beaucoup
plus que d'autres n'eussent fait. Comme tout
autre jugement, « la critique existe » implique
la notion d'être; c'est donc un point de départ
aussi bon que tout autre pour une analyse
réflexive de la connaissance en tant que connaissance. C'en est même un meilleur que bien
d'autres, puisque c'est une évidence immédiate :
nullus potest cogitare se non esse cum assensu. Si
c'est un jugement vrai, c'est une connaissance;
on peut donc se demander à propos de lui :
qu'est-ce que connaître? C'est une relation qui
unit, en les opposant, deux termes, le sujet et

[1] *Op. cit.*, p. 20.
[2] *Op. cit.*, p. 16.

l'objet. Si donc, comme c'est ici le cas, la connaissance est posée comme objet, il devient inévitable que le connaître soit pensé comme être : ce qui *est* l'objet de la connaissance même. Comment se demanderait-on ce qu'il est, à moins de présumer qu'il existe? On se trouve donc ainsi en possession immédiate de l'être et en position de dégager le rôle essentiel joué par l'être comme principe et terme du jugement vrai, ce qui revient à déduire de l'être toute la suite des principes. Cela peut assurément se faire, et le P. Roland-Gosselin l'a fait magistralement, mais il n'a pas fait autre chose. C'est pourquoi, ayant achevé la première partie de son programme, il s'aperçoit que la deuxième reste intacte : comment la pensée du sujet pensant, même en possession de l'être de ce sujet même, peut-elle atteindre un en soi autre que celui du moi? Le point de départ et la méthode n'ont pas changé : c'est toujours la méthode réflexive s'exerçant sur le contenu de la pensée. La difficulté reste donc la même : obtenir de la pensée réfléchie qu'elle saute par-dessus elle-même et retombe d'aplomb au milieu des choses. Il est bon de reculer pour mieux sauter, mais, pour sauter, il faut s'appuyer sur quelque chose, et rien ne nous reste ici sur quoi nous puissions nous appuyer.

C'est un grand malheur qu'une entreprise de critique réaliste conduite avec un tel sérieux et une vigueur d'esprit peu commune ait été interrompue par la mort. Au lieu de l'œuvre que son auteur comptait bien achever, nous n'avons que des essais et des notes, mais que tous

ceux qui les liront, jugeront, avec leurs éditeurs,
« aussi intéressantes qu'une rédaction achevée ».
Peut-être même le sont-elles pour nous davantage ;
puisqu'elles nous permettent d'assister aux tâton-
nements d'une pensée aux prises avec un problème insoluble, elles nous assureront que nulle
issue concevable ne reste qui n'ait pas été déjà
essayée, et essayée en vain.

En abordant le problème critique dans les
notes qui correspondent à ce qu'eût été la
deuxième partie de son Essai, le P. Roland-
Gosselin se rappelle à lui-même la nécessité
de le poser ; car « ne pas l'accepter est d'un dogmatisme inconséquent, puisqu'il refuse à l'esprit
de se connaître assez soi-même pour se justifier
sa propre valeur [1] ». Observons en passant que
cet apparent coup droit n'est qu'un coup d'épée
dans l'eau. Nul réaliste ne refuse à l'esprit le
pouvoir de se justifier sa propre valeur, mais
les envoûtés de l'idéalisme ne conçoivent pas
d'autre justification que celle de la critique ;
refuser de poser le problème critique revient
donc pour eux à refuser toute justification. Il
faut prendre les idéalistes comme ils sont ; or,
à partir du point où nous en sommes, le P. Roland-
Gosselin va poser le problème en termes de plus
en plus nettement idéalistes. Après avoir justifié
la pensée dans son aptitude générale à saisir
l'être et à le connaître tel qu'il est, il va se demander si l'être dont le jugement de perception pose

---

[1] M.-D. ROLAND-GOSSELIN, *Le jugement de perception,* dans
Revue des sciences philosophiques et théologiques, t. XXIV (1935),
p. 13.

l'existence peut être posé par la pensée comme
réellement existant. Autrement dit, la valeur de
la pensée et de ses principes ayant été établie
dans le cas où l'être réel qu'elle connaît est celui
du sujet pensant, il s'agit à présent d'établir
l'aptitude de chaque sujet pensant à saisir autre
chose que lui-même, c'est-à-dire, soit d'autres
sujets pensants, soit des sujets non pensants.

Au moment où il commence cette nouvelle
enquête, le P. Roland-Gosselin se rend à lui-même
témoignage qu'il a les mains libres. En fait,
il a les mains liées depuis le début de son *Essai*.
Pourquoi, en effet, avait-il accepté la position
idéaliste du problème? « Parce que », nous dit-il,
« il n'y a pas lieu d'abandonner bénévolement
à l'idéalisme le privilège d'une position solide,
d'une base d'opérations inattaquable. Parce qu'il
est possible peut-être de l'occuper et d'en reconnaître l'issue naturelle, toute crainte bannie
de s'y laisser enfermer[1]. » Il s'agit donc bien ici
d'un de ces cas trop nombreux où un réaliste
de désir commence par s'enfermer délibérément
dans la position idéaliste, en pariant qu'il trouvera
bien moyen d'en sortir. On peut le faire; mais
celui qui préfère la position idéaliste du problème
comme solide et inattaquable, estime sans doute
que la position réaliste du problème ne l'est pas,
ou l'est moins; d'où il suit que, dans son esprit,
la seule position du problème de la connaissance qui soit absolument solide et inattaquable,
est celle de l'idéalisme. Et cela aussi peut se

[1] M.-D. ROLAND-GOSSELIN, *Essai d'une étude critique de la
connaissance*, p. 35.

dire; mais il ne faut pas le dire et prétendre qu'on a gardé les mains libres, car on accepte de se battre sur le terrain et avec des armes choisies par l'adversaire; méthodologiquement du moins, on n'est pas resté neutre comme on s'y était engagé.

Nous voilà donc condamnés, comme Descartes, à trouver dans le contenu de nos représentations de quoi justifier l'existence réelle de leurs objets. Ce contenu lui-même est double : une part en revient à la sensibilité, l'autre à l'entendement. A première vue, on pourrait se contenter de dire que c'est la sensation qui nous fait atteindre l'existence; mais, comme le rappelle opportunément le P. Roland-Gosselin, « le sens ne perçoit pas l'être, ou l'existence; comme tel, il ne perçoit que le sensible, et premièrement son sensible propre. Ce qui est appelé sensible *per accidens* [par exemple : l'être] n'est pas, en réalité perçu par le sens lui-même; c'est un objet perçu, en liaison avec la sensation, par une autre faculté, soit par l'intelligence s'il s'agit de l'existence ». Dirons-nous alors que c'est l'intelligence qui appréhende l'existence dans le jugement de perception? Mais c'est également impossible‘ car « l'intelligence ne connaît immédiatement que l'essence et ne peut connaître l'existence réelle [1] ». L'issue que l'on cherche ne sera donc pas très facile à trouver.

Sans doute, il y en avait une : celle de l'infé-

[1] M.-D. ROLAND-GOSSELIN, *Le jugement de perception*, p. 9; Cf. p. 13.

rence telle que l'avaient pratiquée Descartes
et le cardinal Mercier; mais le P. Roland-Gosselin
voulait trouver le monde extérieur dans le
jugement par voie d'analyse du contenu de la
perception, analyse conduite sous la règle des
principes premiers; il en rappelle la liste, non
sans omettre le principe de causalité, dont l'usage
eût transformé cette analyse en synthèse. Ayant
ainsi strictement limité son terrain d'opérations,
il ne lui restait donc plus d'autre ressource que
de comparer entre eux les contenus de perception, dans l'espoir de rencontrer celui auquel,
sans inférence aucune, on a le droit d'affirmer
analytiquement qu'un être réel correspond.

On voit de suite à quelles extraordinaires
difficultés se heurte nécessairement pareille entreprise, qui consiste à justifier le réalisme par une
méthode exactement contraire à la sienne. Libre
de suivre sa propre pente, un réaliste classera
les contenus de perceptions en les comparant
à leurs objets réels, et tout d'abord selon qu'un
objet réel leur répond ou non. L'idéaliste, au
contraire, ne disposant de rien autre que des
contenus de ses jugements de perception, doit
reconnaître au seul *aspect* de ces contenus s'ils
correspondent ou non à quelque objet réel.
Soit, par exemple, ce jugement de perception :
Je perçois ma machine à écrire. Donc, direz-vous,
puisque vous la percevez, elle existe. L'inférence
serait valable si les perceptions seules donnaient
lieu à des jugements d'existence. Ce n'est malheureusement pas le cas, puisqu'il existe plusieurs
classes d'images, ou de groupes d'images, tout

à fait comparables à la perception sous ce rapport.
Il y a d'abord les hallucinations, qui s'offrent
à la conscience comme des perceptions, bien
qu'elles n'en soient pas ; mais les rêves ne s'accom-
pagnent pas d'un sentiment d'existence moins
aigu que les hallucinations elles-mêmes ; en outre,
toutes les illusions des sens, comme les bâtons
que l'on voit dans l'eau brisés, etc., peuvent être
classées parmi les cas où de simples images se
laissent prendre pour des perceptions. Bref,
dans tous ces cas, « le contenu de ces images
est spontanément jugé existant, indépendamment
de l'esprit [1] ». A quel signe discernerons-nous
donc si l'objet d'un jugement de perception
existe ou n'existe pas?

Puisqu'il peut y avoir jugement d'existence
sans qu'il y ait perception, c'est donc que les
images sont tout aussi capables que les sensations de déterminer de pareils jugements. Inversement, puisqu'il peut y avoir des jugements
d'existence dont l'objet n'existe pas, ce n'est
donc pas la présence de l'objet qui détermine
ces jugements. De quelque côté que l'on envisage
le problème, la même conclusion s'impose :
il n'y a pas d'*indice existentiel*, c'est-à-dire de
signe dont la présence ou l'absence attestent
infailliblement la présence ou l'absence de l'objet.
En d'autres termes : « Nulle sensation, ni l'ensemble des sensations que nous pouvons obtenir,...
ne livrent à l'esprit, dans ou par leur contenu
sensible, un indice quelconque permettant de.

---

[1] M.-D. Roland-Gosselin, *Le jugement de perception*, p. 7.

discerner l'être réel de l'objet, auquel le contenu de ces sensations semble appartenir, et qu'il semble exprimer [1]. »

Dès ce point de sa recherche, le P. Roland-Gosselin vient de s'engager, à la suite des idéalistes, dans une position dont il ne suffit pas de dire qu'elle est désespérée, mais qu'elle est proprement inintelligible. Bien avant lui, Taine avait entrepris de chercher, dans les présentations mentales, par quels caractères infaillibles on peut distinguer les sensations des images. Reprenant à son tour ce problème, le P. Roland-Gosselin conclut qu'il n'y a pas de marques sûres permettant de les reconnaître. Si, d'une part, nous ne pouvons les distinguer par la présence ou l'absence de leurs objets; si, d'autre part, nos sensations ne se distinguent *intrinsèquement* de nos images par aucune marque sûre, comment pouvons-nous encore, je ne dis pas seulement résoudre le problème, mais le poser? On se demande en quoi les perceptions diffèrent des illusions, rêves, rêveries et hallucinations; mais le simple usage de tels mots suppose discernés les uns des autres ces états de conscience que l'on déclare indiscernables. Si rien ne permet de distinguer la perception du rêve, comment pouvons-nous user de ces deux termes? Peut-être invoquera-t-on l'accord des hommes entre eux et les recoupements qu'ils opèrent pour vérifier leurs expériences? Mais nous ignorons encore s'il existe d'autres sujets pensants. Ou bien l'on invoquera

[1] *Art. cit.*, p. 8.

la critique de nos données sensorielles les unes
par les autres? Mais si nulle sensation ne contient
d'indice existentiel, nul groupe de sensations ne
saurait en contenir davantage. L'existence du
monde extérieur n'est pas le seul problème qui
soit ici en cause; l'existence du problème lui-
même a quelque chose de mystérieux.

Pour sortir de ces difficultés, le P. Roland-
Gosselin va successivement essayer plusieurs
portes. La première est celle qui conduit à la
vieille hypothèse d'un sens agent. Notons de
suite ce qu'il y a de paradoxal à prétendre
éclairer le thomisme en y introduisant une doctrine dont saint Thomas n'a jamais parlé que
pour la réfuter. Pour que cette entreprise réussît, il
faudrait que saint Thomas lui-même se fût
mépris sur le sens de son œuvre. Ce n'est certes
pas une hypothèse contradictoire, mais l'hypothèse contraire est autrement vraisemblable,
et la discussion de l'hypothèse en cause va
d'ailleurs mettre en évidence sa complète vanité.

Il s'agirait en effet d'admettre qu'il y a dans
la sensation, outre l'espèce sensible reçue, une
espèce produite par lui. Cette *species expressa*
serait alors conçue comme douée d'une intentionnalité spécifique et qui, comme celle de l'idée,
reporterait l'esprit vers la réalité. La seule
différence serait alors qu'au lieu de diriger
l'esprit vers l'être en général, comme fait l'idée,
la perception le dirigerait vers *cet* être en particulier [1]. Même en négligeant la difficulté qu'il y

---

[1] *Art. cit.*, pp. 11-12.

aurait à introduire dans la lettre du thomisme
cette espèce sensible expresse, on doit objecter
à cet artifice sa complète inutilité. Si, comme
le P. Roland-Gosselin l'a établi lui-même, rien
ne permet de distinguer à coup sûr les sensations
des images, c'est que cette espèce expresse elle-
même, à supposer qu'elle existe, ne suffit pas à
permettre ce discernement. Qu'il y ait ou non
de telles espèces, les illusions du rêve et de l'hallucination ne s'en produisent pas moins. Le problème demeure donc intact : « Comment établir
d'une façon certaine, critique, qu'une sensation,
ou un ensemble de sensations, n'est possible
que par l'action sur l'esprit d'une réalité actuellement existante, indépendamment de l'esprit [1] ? »

Puisque nous nous sommes interdit tout recours
au principe de causalité, « lequel n'a certainement
rien à faire dans le jugement spontané du bon
sens », il ne reste plus guère qu'à remonter
des données sensibles du jugement de perception
au jugement d'existence lui-même. Ne pourrait-
on tenter d'en analyser la genèse spontanée?
Ne pourrait-on, en suivant cette genèse, *montrer*
comment les contenus des jugements de perception *signifient* des réalités distinctes du connaissant? S'engager dans cette nouvelle voie, c'est
évidemment recourir à la psychologie, mais
peut-être le faut-il pour justifier la métaphysique.
On pourrait dire, par exemple, que l'enfant
commence par une vague notion que ses sensations, ou perceptions, atteignent des objets

[1] *Art. cit.*, p. 13.

réellement existants. Plus tard, grâce à l'application spontanée des premiers principes et par la
comparaison des divers contenus des perceptions,
on en arrive à ajouter à certains d'entre eux la
notion abstraite d'existence. Une fois qu'elle
s'est ainsi constituée à partir de certaines données
sensibles, l'idée d'existence réelle peut être immédiatement étendue à tout nouveau contenu sensible. Cette extension se fait si spontanément,
qu'elle en arrive à déborder les perceptions pour
envahir les simples images et donne ainsi naissance aux illusions sensorielles, aux rêves et aux
hallucinations. Ainsi, sans avoir recours à une
intuition de l'être « qui n'existe pas », on comprendrait comment le jugement d'existence en arrive
à se former : « Tout prend alors forme et cohérence.
Toutes les difficultés signalées disparaissent. »

Elles ne disparaîtront pas pour longtemps.
Le premier défaut de cette procédure est qu'immédiatement après avoir posé une question à
la psychologie, on imagine ce que sera sa réponse.
Il est trop facile de tailler une psychologie sur
mesure pour habiller une certaine métaphysique;
un peu d'habileté y suffit, mais les succès de ce
genre n'ont jamais rien prouvé. Si nous laissons
à la psychologie le soin de trancher la question,
laissons-la libre de sa réponse, souhaitons qu'elle
ne nous en donne pas plusieurs contradictoires
et rangeons-nous à ses conclusions quelles qu'elles
soient.

Ce sont là bien des hypothèses et des incerti-
tudes; mais à supposer que la psychologie nous
apporte une réponse unanime et que cette réponse

confirme nos anticipations réalistes, qu'aurons-nous fait pour justifier critiquement la connaissance? Absolument rien. Le sens commun admet spontanément que la perception normale atteint des objets réels; savoir par quel mécanisme psychologique cette conviction se forme en nous ne nous conduirait pas plus loin que ne fait le sens commun sur la voie de la métaphysique. On aura beau montrer comment nos jugements de perception en arrivent à signifier l'être, cela ne prouvera pas qu'ils l'atteignent. Pour le prouver, il ne suffirait même pas que nous ne puissions pas ne pas penser certains contenus de perception comme réellement existants; car le fait brut que nous percevons le sensible comme être nous laisse dans le pur empirisme, mais le fait que nous ne puissions pas ne pas le penser ne nous élèverait pas au-dessus d'une nécessité abstraite qui ne garantirait en rien l'existence réelle de son objet. C'est d'ailleurs ce dont notre réaliste critique n'a pas manqué de s'apercevoir; car, observe-t-il, ce que nous pensons comme un objet réel, n'est toujours qu'une « unité objective comme telle », nous ne savons toujours pas si c'est aussi une « unité ontologique ». Sur quoi il ajoute aussitôt cette remarque inquiète : « Mais, avec cette restriction, le chemin n'est-il pas fermé [1] ? »

Il l'est, assurément. Il l'a même été dès que nous nous sommes mis en marche; mais l'enquête solitaire du P. Roland-Gosselin ne se décourage pas encore. En somme, après avoir analysé

---

[1] *Art. cit.*, p. 18.

la formation psychologique de ces unités objectives de perception, il resterait à transcender le
psychologisme en montrant comment, « indépendamment de son unité, l'objet de la perception doit avoir valeur de réalité. Est-ce possible? »
Et nous voilà sur un nouveau départ : « On pourrait songer à ce moyen... » : l'*Essai*, dont nous
avons analysé la position, a déjà prouvé, à partir
du « Je cherche », l'aptitude de l'esprit à penser
l'être et à le saisir. Or la notion d'être réel ne
prend son sens plein que par la perception sensible:
« C'est donc que la notion de l'être sensible
ainsi acquise est valable en principe, et possède
véritablement le sens et la portée que lui confère
spontanément le jugement de perception. »

Sans doute, mais *en principe seulement*. Or, nous
ne recourons à ce nouvel argument que parce
qu'il a été déjà prouvé que nulle image, ou perception, ne comporte d'indice existentiel; il y a donc
ici deux vérités en conflit. D'une part, et cela est
vrai, nous pensons spontanément les unités
objectives de perception comme correspondant
à des êtres réels; d'autre part, et cela est également
vrai, nous avons parfois tort de céder à cette
spontanéité, comme il arrive dans le rêve ou
l'hallucination. Comment donc savoir dans quels
cas nous avons raison? C'est toute la question,
et elle reste entière. Comme le P. Roland-Gosselin
se l'avoue mélancoliquement à lui-même : « En
principe, car il faut évidemment réserver la
possibilité de l'erreur. Et c'est là, peut-être, que
serait la faiblesse de cette démonstration[1]. »

----

[1] *Art. cit.*, p. 20.

Ce n'en est pas peut-être la faiblesse, c'en est certainement la destruction. Malheureusement pour nous, ce travail interrompu par la mort ne nous en dit pas davantage; après avoir frappé à ces différentes portes et constaté qu'elles refusent de s'ouvrir, le réaliste critique en est réduit à faire ce que font les prisonniers : il marche en rond. Tantôt le P. Roland-Gosselin revient sur le fait que, puisque l'intellect s'est avéré capable d'atteindre l'être dans le cas de la pensée, il doit être aussi capable de distinguer la réalité de l'apparence, fût-ce au prix d'un travail assez lent; tantôt, il se souvient que c'est une existence en soi qu'il s'agit d'atteindre, non une simple nécessité de pensée, et il s'aperçoit alors que son enquête vient de rejoindre son point de départ [1]. Même si c'est une illusion nécessaire, l'existence du monde extérieur n'est encore qu'une illusion. Assurément, on pourra toujours dire que, s'il eût vécu, le P. Roland-Gosselin eût fini par trouver la solution de cette quadrature du cercle qu'est la construction d'un réalisme critique. Nous nous garderons bien de le nier; mais il est du moins permis d'observer que le P. Roland-Gosselin s'est laissé entraîner par la certitude aveugle que la position idéaliste de la question était la seule qui fût pleinement solide et de tout point irréprochable. S'étant ainsi délibérément engagé dans la discussion publique d'un problème

---

[1] Sur l'aptitude universelle de l'intellect à saisir l'être, voir p. 22; — sur le temps requis pour discerner la réalité de l'apparence, p. 25; Cf. pp. 27-28 et p. 35; — sur la difficulté d'atteindre un autre en soi que celui de la pensée, pp. 35-37.

dont il n'avait pas encore la solution, il a dû
s'avouer à lui-même que toutes les méthodes
qu'il était capable de concevoir pour le résoudre
conduisaient à la même impossibilité. Cette
impossibilité, nous savons d'autre part qu'elle
est coessentielle au réalisme critique ; car s'il
part de la seule pensée, il ne parviendra pas
à en sortir, mais s'il ne part pas de la seule pensée,
il n'aura rien à faire pour atteindre les choses,
puisqu'il se les sera accordées. Le P. Roland-
Gosselin n'a ni voulu se les accorder, ni pu les
rejoindre. On peut le constater sans injure à sa
mémoire : où il a échoué, de plus grands avaient
échoué avant lui.

CHAPITRE V

LA CRITIQUE RÉALISTE DE L'OBJET

Constituer une théorie de la connaissance, qui ne se trouve pas toute faite chez saint Thomas, mais dont les éléments sont épars dans son œuvre, puis appliquer les conclusions de cette théorie à « la solution des problèmes fondamentaux de la philosophie critique », telle est la double tâche que le P. J. Maréchal s'est imposée et qu'il a menée à son terme avec une remarquable puissance de construction. Comme il est naturel, le terme était prévu. Il s'agissait en effet de démontrer « que l'agnosticisme kantien, non seulement n'est point irréfutable, mais peut même être surmonté à partir de ses propres principes [1] ».

L'entreprise n'était pas neuve, puisque Fichte l'avait déjà tentée, et le souvenir de ce puissant esprit suffit à nous avertir de la difficulté fondamentale à laquelle nous devons nous attendre. Surmonter la critique kantienne à partir de ses propres principes n'est pas chose impossible, pourvu seulement qu'on interprète en termes

[1] J. Maréchal, *Le point de départ de la métaphysique.* cahier V. *Le Thomisme devant la philosophie critique.* Paris, F. Alcan, 1926; p. 1.

métaphysiques des données qui, chez Kant, sont et veulent rester critiques. Il ne suffirait donc pas d'objecter que le P. Maréchal entend bien ne pas résoudre le problème comme Fichte l'avait résolu. Que l'on cherche à prolonger la critique par une métaphysique du sujet, comme Fichte, ou par une métaphysique de l'objet, comme le P. Maréchal va tenter de le faire, la difficulté reste la même. Il est de l'essence de la critique kantienne de ne pouvoir se continuer en aucune métaphysique dogmatique, car ce sont là des positions essentiellement incompatibles et tout passage de la première à la seconde s'effectue par voie de trahison. Kant l'a assez dit à Fichte pour qu'on s'en souvienne, et puisqu'il ne s'agit plus simplement ici de critique en général, mais de critique kantienne, on devrait y regarder à deux fois avant de passer outre à l'interdit jeté par Kant sur toute tentative de ce genre. Rendons du moins au P. Maréchal cette justice, qu'il a consciemment affronté ce redoutable obstacle. Car il s'est souvenu de Fichte. Il a prévu qu'on allait lui reprocher, comme Kant le reprochait à Fichte, de « déverser toute une métaphysique dans le cadre de la critique », au risque de noyer la critique dans la métaphysique. De là, chez lui, un sentiment quasi fraternel pour Fichte, car ils sont aux antipodes l'un de l'autre, donc dans le même monde, au lieu que Kant habite un monde entièrement différent. On ne peut comprendre autrement la remarque par laquelle le P. J. Maréchal écarte l'objection : « A cela nous ne verrons pas, nous, d'inconvénient

majeur. Une *critique* ne doit pas nécessairement
jeter le *veto* sur la métaphysique : une *critique*
ne préjuge en rien de la valeur absolue de son
objet [1]. »

C'est là, hélas! toute la question. En fait,
la critique de Kant préjuge de la valeur absolue
de son objet, à tel point qu'elle repose essentiellement sur ce préjugé même, dont elle est ouvertement partie et que toute la *Critique de la raison
pure* a pour fin de justifier. Que cette manière
de poser le problème soit arbitraire, on en tombe
d'accord, mais ce n'est pas de cela qu'il s'agit.
Toute la question est ici de savoir si l'on peut
surmonter l'agnosticisme kantien « à partir de
ses propres principes ». A quoi l'on doit répondre :
non, car l'agnosticisme kantien est inscrit dans les
principes dont il découle, et c'est même là pourquoi ils sont ses propres principes. Si donc on
veut tenter une critique qui ne préjuge en rien
de son objet, on se débarrassera peut-être de
l'agnosticisme kantien, mais on ne l'aura pas
surmonté à partir de ses propres principes. Tout
sera donc à recommencer. Si, au contraire, c'est
bien des principes de l'agnosticisme kantien
que l'on part, on retombera nécessairement dans
cet agnosticisme, ce qu'il s'agissait précisément
d'éviter.

Que le P. Maréchal se soit installé dès le début
sur un terrain complètement étranger au kantisme, il est facile de le constater et de le comprendre. S'il eût fait autrement, il n'eût pas avancé

---

[1] J. MARÉCHAL, *op. cit.*, p. 5.

d'un seul pas dans son entreprise. Pour se donner
la liberté de jeu dont il avait besoin, le P. Maréchal commence donc par distinguer deux critiques. L'une, la « critique métaphysique »,
est une critique de l'objet. Elle présuppose, ou
accorde sans aucune discussion, non seulement
qu'il y ait de l'être, des choses, mais aussi que
tout acte de connaissance soit naturellement
orienté vers ce qui est. Ceci posé, la critique
commence, et elle consistera à revenir sur ces
affirmations initiales, à l'aide de la méthode
réflexive, pour les critiquer. Toute une série
de problèmes doit alors surgir qui vont réclamer
leur réponse : quelles conditions doit-on supposer
remplies, tant du côté de l'objet que de celui du
sujet, pour que la connaissance soit possible?
Quels sont les divers ordres de connaissance et
quelle est leur hiérarchie? Enfin, quels sont les
étages de l'être qui correspondent à ces étages
de la connaissance? Une telle critique mérite
d'être qualifiée de métaphysique, car « elle pose
immédiatement l'objet comme objet en soi »,
et c'est seulement ensuite, dans cette perspective d'absolu, qu'elle analyse et retouche du
dehors son objet, selon les exigences du principe
d'identité, et sans rechercher les conditions
de la genèse de cet objet dans la pensée. C'est
seulement plus tard que le problème de la genèse
de l'objet de pensée se posera et c'est la psychologie rationnelle qui en déterminera les conditions
de la part du sujet.

A cette critique métaphysique s'oppose la
« critique transcendentale », telle que Kant l'a

conçue, dont l'essence consiste à « suspendre l'affirmation primitive absolue de l'être, pour examiner en eux-mêmes les contenus de conscience, et analyser les conditions qui les constituent en objets connus ». Le problème qui se pose alors est celui de « la genèse interne de l'objet comme objet », et son étude, poursuivie tout entière du dedans de la conscience, bien loin de présupposer aucune affirmation métaphysique, constitue au contraire une « épistémologie préliminaire à la métaphysique [1] ». Pour constituer un réalisme critique, il est nécessaire et suffisant d'amener ces deux critiques à coïncider.

Comme tous les problèmes, celui-ci est condamné, par la nature même de ses données, à chercher sa solution dans une direction déterminée. D'abord, il lui est interdit de limiter d'avance, en quoi que ce soit, la prétention de la critique dite métaphysique à une saisie objective totale de l'être tel qu'il est. La moindre restriction à cette prétention aurait pour effet immédiat de ruiner une telle critique métaphysique. Sans doute, même dans une critique métaphysique, le sujet joue un rôle dans la constitution de l'objet connu, mais une critique métaphysique s'interdit de mettre en doute l' « absolu objectif » qu'atteint la connaissance. Elle ne peut pas douter non plus que, dans des conditions d'ailleurs à définir, la connaissance l'atteint effectivement. Puisqu'on ne peut toucher à ce genre de critique, le seul espoir qui reste

J. MARÉCHAL, *op. cit.*, pp. 29-30.

permis est celui d'obtenir de la critique transcendentale qu'elle se montre plus maniable. Est-ce
possible? Peut-on l'espérer?

Non seulement le P. Maréchal l'a cru possible
et l'a espéré, mais c'est sur cet espoir que toute
sa construction philosophique repose. Si, comme
on peut le craindre, il s'est fait illusion sur ce
point, ce n'est certainement pas par ignorance
du kantisme authentique : toute son œuvre
prouve au contraire qu'il en a nettement discerné
l'esprit; c'est probablement plutôt faute d'avoir
pris l'idéalisme critique au sérieux. Au fond,
peu de réalistes critiques s'engagent vraiment
dans la critique; c'est pourquoi ils jugent si
facile d'en sortir. Pourtant, comme le réalisme,
le criticisme est dominé par la nécessité de sa
propre essence, dont l'exigence la plus fondamentale est une exigence d'identité et de fidélité à
soi. Même si la critique ne sait plus quel est
le premier principe, elle le subit. Qui s'engage
dans la critique au lieu d'en mimer simplement
les démarches, percevra vite sa loi première :
il est essentiel à la critique d'exclure toute position
non critique de quelque question que ce soit.
Cette loi, le P. Maréchal l'a violée dès le début
de sa tentative, dont la formule même est contradictoire, critiquement parlant. Car n'oublions
pas que ce criticiste d'un nouveau genre garde
par devers soi, explicitement soustrait à toute
critique, un réalisme métaphysique complètement
constitué. Non seulement il ne s'engage pas dans
la critique, ainsi que l'avait fait Kant, parce que
toutes les autres voies se sont successivement

fermées devant lui, mais il a déjà poursuivi
jusqu'au bout la voie du réalisme métaphysique
et nul doute ne s'élève dans sa pensée sur la
parfaite légitimité des résultats ainsi obtenus.
Le problème qui le préoccupe n'est pas celui-là,
mais de savoir si, en s'engageant dans la voie de
la critique, on ne pourrait pas rejoindre les
certitudes dont le réalisme a déjà pu s'assurer.
Pareille entreprise implique la méconnaissance
radicale de l'originalité propre aux positions
philosophiques pures et de la nécessité qui, à
l'intérieur de chacune d'elles, lie les principes aux
conclusions. En fait, il n'est pas plus possible
à un réaliste de se poser le problème critique
de la connaissance, qu'il n'est possible à un criticiste de rejoindre les conclusions du réalisme.
Faute d'en avoir eu le sentiment, le P. Maréchal
semble avoir cru qu'une diplomatie métaphysique suffisamment habile obtiendrait de l'essence
du criticisme qu'elle consentît à se renier.

Ce qui confère un intérêt exceptionnel à la
tentative du P. Maréchal, c'est qu'ayant joué
la partie de bout en bout avec une parfaite
correction, il a du moins démontré qu'on ne
peut pas la gagner. D'abord, il a bien vu et fortement marqué qu'à l'inverse de la critique
métaphysique qui affirme d'abord la réalité
absolue de l'objet, la critique transcendentale
arrête d'abord le mouvement qui porte l'esprit
vers l'objet « et isole pour le considérer en soi,
le contenu apparent de la conscience [1] ». En outre,

---

[1] J. MARÉCHAL, *op. cit.*, pp. 15-16.

le P. Maréchal a souligné le fait que, dans une critique transcendentale, l'objet est toujours défini non pas en fonction de l'objet réel, à supposer qu'il y en ait un, mais en fonction des facultés, ou pouvoirs de penser, qui le constituent comme objet. Tel est précisément le point de vue transcendental, au sens kantien du terme, qui consiste à envisager les objets de connaissance *uniquement* en fonction des facultés de penser qui les engendrent comme objets de connaissance, autant dire : comme objets, tout court, puisqu'à moins d'être tel pour notre connaissance, un objet ne l'est pas du tout. Ajoutons enfin que le contre-sens classique qui consiste à prendre ces facultés pour des entités psychologiques a été dénoncé par le P. Maréchal avec toute la vigueur souhaitable. Le fait vaut d'être signalé, car il prouve à l'évidence que le réalisme critique auquel tend cette entreprise philosophique s'interdit toutes facilités déshonnêtes. Si l'on transforme les facultés du criticisme en facultés psychologiques, rien n'est plus facile que de concilier kantisme et thomisme, car la critique se bornera dès lors à dire qu'il y a des conditions ontologiques de la connaissance dans le sujet, comme il y en a dans l'objet. Mais ni l'intellect agent d'Aristote, ni celui de saint Thomas ne peuvent être réduits à l'état de simples *conditions a priori de la connaissance;* ce sont des causes, parce que ce sont d'abord des êtres. Réaliser les facultés kantiennes pour opérer leur jonction avec les facultés thomistes, c'est déserter le plan de la critique pour celui du réalisme dogmatique; en le faisant, on a escamoté le problème, on ne l'a pas résolu.

Le P. Maréchal a voulu le vraiment résoudre; d'où sa remarque très juste, qu' « une faculté n'est d'ailleurs autre chose ici, qu'un pouvoir de détermination *a priori* de l'objet[1] ». Ainsi, de même que la critique transcendentale n'a rien à faire avec ce qu'est en soi l'objet donné à notre sensibilité, puisque, pris *en soi*, ce n'est pas un objet, elle n'a rien à faire non plus avec ce que sont *en soi* les conditions déterminantes *a priori* de l'objet. Il doit bien y avoir de telles déterminations, comme il doit y avoir des choses en soi, puisque autrement il n'y aurait pas d'objets, mais nous ne savons rien des choses en soi sinon qu'elles apparaissent et nous ne savons rien des pouvoirs *a priori* de la pensée sinon qu'ils déterminent. Non seulement nous n'en savons rien d'autre, mais toute question à leur égard est sans aucun sens dans l'ordre théorique. Il n'y a donc aucun espoir de surmonter la critique de ce côté. Le P. Maréchal a clairement vu que la critique ferme aussi complètement l'accès de l'en soi du sujet connaissant que celui de l'objet connu, et il est tout à son honneur de n'avoir rien tenté de ce côté.

Il ne restait plus alors qu'à s'engager dans la voie difficile et profonde qui passe par le cœur même du kantisme. Kant était persuadé, contre Hume, qu'il y a des connaissances universelles et nécessaires portant sur l'ordre réel. Il était

---

[1] J. MARÉCHAL, *op. cit.*, p. 16.

également persuadé que, si Hume lui-même en avait douté, la cause en était dans la nature inconsciemment dogmatique de l'idée que le philosophe anglais s'était faite de la connaissance. Au fond, le scepticisme de Hume était l'inévitable conséquence d'une doctrine, où l'empirisme le plus simpliste prétendait à la connaissance des choses en soi. Si la *connaissance* des choses telles qu'elles sont *en soi* est une entreprise contradictoire, le scepticisme de Hume prouve seulement (mais cela seul en fait un événement philosophique décisif) que toute connaissance de type dogmatique est impossible. Bref, l'expérience de Hume prouve que tout dogmatisme engendre fatalement un scepticisme, mais elle ne prouve pas qu'un autre genre de connaissance soit impossible. Supposons donc, avec Kant, que nous dépassions l'empirisme psychologique du sujet, auquel Hume s'était arrêté, pour nous élever à une attitude critique pure. Le problème changera d'aspect. Il consistera dès lors à trouver à quelles conditions *a priori* des connaissances nécessaires d'objets sont possibles.

Ces conditions sont au nombre de deux. Pour que de telles connaissances ne soient pas tautologiques, mais constituent de véritables enrichissements de la pensée, il faut qu'elles soient synthétiques. En outre, pour que les synthèses ainsi formées ne soient pas de simples consécutions empiriques, mais des lois nécessaires, il faut qu'elles soient *a priori*. Le but de la critique est donc de montrer que l'existence de connaissances universelles et nécessaires, comme celles de la physique newtonienne par exemple, requiert comme condition le pouvoir de former des jugements synthétiques a priori. Ce n'est pas tout. Pour que la critique ait elle-même valeur de nécessité, il ne suffirait pas de montrer qu'en fait nos jugements universels et nécessaires sont ainsi constitués, ce qui serait encore de l'empirisme, il faut prouver que *la possibilité* même de tels jugements requiert de tels principes. Puisqu'il s'agit ici d'une question de droit, et non pas de fait, la démonstration doit être analytique et déductive. Elle consistera donc à découvrir par voie d'analyse, dans les objets de pensée, toutes les conditions a priori de leur possibilité. Effectuer cette analyse, c'est opérer la déduction transcendentale des conditions a priori des objets de pensée à partir de ces objets [1]. Voilà pourquoi, remontant ainsi du fait à ses conditions, la critique transcende tout empirisme, l'empirisme psychologique du sujet comme l'empirisme physique de l'objet. Qu'il y ait des connaissances universelles et nécessaires est une constatation pré-critique, comme celle de l'existence des choses. Dans l'ordre théorique seul ici en cause, la critique commence avec la recherche des conditions a priori de la possibilité de telles connaissances et elle s'achève avec leur découverte. Une fois posées comme telles, la connaissance que nous en avons suffit et l'on a dit tout ce qu'il est possible d'en dire; les spécula-

---

[1] J. MARÉCHAL, *op. cit.*, p. 22.

tions sur l'en soi de l'existence des choses et sur les conditions en soi de cette existence même se trouvent reléguées dans la zone vague de la métaphysique dogmatique, où la raison discute tout, mais ne conclut jamais.

Prétendre forcer les portes de la prison où vient ainsi de s'enfermer la critique, et prétendre les forcer du dedans après s'y être enfermé avec elle, telle est l'entreprise à laquelle le P. Maréchal s'est héroïquement voué. Comment déboucher du transcendental dans le métaphysique? Où trouver l'issue qui, des conditions pures a priori de la connaissance, permettra de pénétrer jusqu'à l'en soi des objets? Cette issue, le P. Maréchal l'a cherchée dans le fait que, du point de vue de l'analyse transcendentale kantienne, l'objet de connaissance est constitué par une faculté, ou, si l'on préfère, un pouvoir de liaison, une synthèse, bref un acte de l'entendement. Que l'on donne à cette *Verstandeshandlung* le nom qu'on voudra, et Kant lui-même en donne plusieurs, il n'importe. L'important est que, pour Kant, tout objet de pensée présuppose l'acte dont il résulte. C'est exact, et l'on peut même ajouter que c'est là l'une des fausses portes classiques par lesquelles les prisonniers du kantisme cherchent à s'en évader. Pour ne nommer que le plus illustre d'entre eux, rappelons Fichte. Il est donc vrai qu'en en usant à son tour, le P. Maréchal engage le kantisme sur l'une des voies par où l'on peut en sortir. S'il y a un acte du sujet connaissant à l'origine de tout objet connu, il y a nécessairement un dyna-

misme dans tout acte transcendental de pensée,
et il faut même que ce dynamisme soit orienté
vers la constitution de l'objet connu. Donc il y
a ici finalité, au moins dans l'ordre épistémolo-
gique. « Kant méconnut le rôle essentiel que la
finalité active du Sujet joue dans la constitution
même de l'objet immanent, et cet oubli frappe
d'impuissance partielle sa méthode transcendentale. » Fichte, qui s'en était aperçu, le lui a
justement reproché, et lorsque lui-même s'effor-
çait d'utiliser ce dynamisme pour unifier les
deux Critiques, celle de la raison pure et celle de
la raison pratique, il n'avait pas « entièrement
tort de croire », en dépit des protestations de
Kant, qu'il continuait l'œuvre authentique de
la Critique kantienne « en en développant les
parties implicites[1] ». Car si l'on adopte cette
attitude, on verra bientôt que, loin de se contre-
dire, les deux critiques ici en question, la métaphysique et la transcendentale, convergent aussi
vers un même résultat final.

Pour les Anciens, tout jugement avait valeur
objective parce qu'il était un acte d'affirmation
et que toute affirmation implique un rapport
stable entre ce que l'on affirme et l'*être*. Leur
réalisme reposait donc, en dernière analyse,
sur un finalisme implicite de l'acte de juger,
« ce qui revient à dire que nos contenus de conscience ont toujours quelque réalité objective,
parce qu'ils s'insèrent inévitablement, d'une
manière ou d'une autre, dans la finalité absolue

[1] J. Maréchal, *op. cit.*, p. 26.

qui anime notre action. L'objet s'avère comme *être* dans la mesure où il s'impose comme *fin*[1] ». Tout l'effort de la critique métaphysique de l'objet tendra donc, à la lumière du premier principe qui est l'être, et une fois l'objet posé comme objet en soi, à revenir par réflexion sur cette affirmation globale et à « étager l'être » selon les divers ordres et les divers degrés de réalité attribuables aux objets. La critique transcendentale, au contraire, s'astreint à ne partir que des seuls objets de pensée, mais si, au lieu de les prendre comme des données statiques, ainsi que l'a fait Kant, elle remontait au dynamisme de l'acte qui constitue ces objets, et jusqu'aux conditions de ce dynamisme, elle se verrait obligée de poser à son tour une fin comme sa seule explication possible. En d'autres termes, « par le relatif, présent dans la conscience, elle découvrirait l'*Absolu ontologique*[2] ». A ce moment aussi les deux critiques finiraient par se rejoindre dans une même métaphysique dynamiste, qui est leur inévitable résultat final. Allons plus loin, on verrait qu'elles s'impliquent l'une l'autre : « Ces deux méthodes critiques, abordant, sous des angles complémentaires, le même objet total, doivent, poussées à fond, livrer finalement des conclusions identiques; car la critique ancienne pose d'emblée l'Objet ontologique, qui *inclut* le Sujet transcendental; et la Critique moderne s'attache au Sujet trans-

[1] J. MARÉCHAL, *op. cit.*, p. 28.
[2] J. MARÉCHAL, *op. cit.*, p. 30.

cendental, qui *postule* l'Objet ontologique [1]. »
L'accord des deux critiques semble donc bien
inscrit dans leurs essences mêmes, pourvu seulement que chacune d'elles aille jusqu'au bout
de ses propres exigences et, une fois là, s'abs-
tienne de les dépasser.

Cette manière de présenter les deux critiques
comme les aspects complémentaires d'une seule
et même entreprise est assurément fort sédui-
sante. Elle l'apparaîtrait plus encore s'il nous
était possible de suivre l'entreprise du P. Maréchal dans le détail même de sa réalisation.
Puisque notre discussion doit porter essentiellement sur les méthodes, nous devons nous refuser
ce plaisir et, non sans ingratitude à l'égard d'un
si bel ajustement d'idées, exiger impitoyable-
ment de lui qu'il confirme l'attitude générale
dont il veut être la justification technique.

Nous sommes partis, ne l'oublions pas, de
l'ambition de rejoindre le réalisme thomiste
par la voie du criticisme kantien, or la méthode
préconisée par le P. Maréchal soulèverait, du
côté thomiste, de sérieuses difficultés ; elle en
soulèverait même d'insolubles, si l'on voulait
opérer une jonction proprement dite entre les
deux critiques. Non seulement leur jonction,
mais leur simple concordance, apparaît en effet
comme impossible, à moins que l'on ne vide
l'une et l'autre des caractères qui la définissent.
Il est vrai de dire, quoique peut-être en un sens
assez différent de celui où l'entend le P. Maré-

[1] J. MARÉCHAL, *op. cit.*, pp. 30-31.

chal, que le jugement thomiste implique un élément de finalité, mais cette finalité même de l' « intentionnalité » thomiste présuppose, entre autres conditions, une jonction déjà effectuée entre le sujet et l'objet; elle exprime la saisie d'un en soi antérieurement accomplie sur le plan ontologique et dont la connaissance permet au sujet connaissant de prendre conscience. L'épistémologie thomiste repose donc ici sur une ontologie qui la conditionne et qu'elle peut bien connaître, mais n'a pas à justifier. Quand la pensée tend vers l'objet, l'objet a déjà pris les devants; c'est parce qu'il a rencontré d'abord le sujet que la pensée peut ensuite tendre vers lui. C'est d'ailleurs pourquoi, à la différence de la critique transcendentale, la soi-disant critique métaphysique n'a nullement à postuler son objet; si elle ne tenait pas déjà cet objet, ni elle ni sa finalité n'existeraient.

Inversement, on peut dire si l'on veut que l'acte transcendental kantien implique une finalité et postule son objet, mais de quel objet s'agit-il? S'il s'agit de l'objet immanent de pensée, nous n'avons pas à le postuler; il est déjà donné comme l'objet même de l'analyse transcendentale, mais ce n'est qu'un objet de pensée, rien de plus. Pour poser la chose en soi, l'être réel, comme condition du finalisme de l'acte de connaître, il faut se livrer à des opérations qui dépassent de bien loin les moyens de la critique, et dont pourtant les résultats ne satisferaient sans doute pas le réalisme dogmatique. Il n'y aurait aucune difficulté à poser comme possible

l'existence de la chose en soi; Kant lui-même
n'a jamais hésité à même en affirmer l'existence,
et l'on se contenterait ici d'abord de sa possibilité. On pourrait ensuite montrer sans peine
qu'une pensée non intuitive, comme la nôtre,
exige et pose, par la finalité de son dynamisme,
« la réalité en soi des fins qu'elle poursuit »;
mais, comme le constate aussitôt le P. Maréchal
lui-même, « au point de vue strictement critique, une exigence dynamique, si inéluctable
soit-elle, ne fonde encore, par elle seule, qu'une
certitude *subjective*[1] ». Pour objectiver cette
certitude, quelles ressources la méthode kantienne
met-elle à notre disposition? Absolument aucune
que l'on puisse concevoir. Pour sortir d'embarras,
le P. Maréchal ajoute que, si l'on pouvait faire
apparaître la réalité en soi des fins de la pensée,
non seulement comme une exigence dynamique,
mais comme une *nécessité logique*, la tâche serait
achevée[2]. Elle ne le serait pourtant aucunement,
car à moins de s'appuyer indûment sur les
données de la critique métaphysique, on n'aboutirait ici encore qu'à une pure nécessité abstraite
de pensée, qui, si absolue fût-elle, ne garantirait en rien l'existence réelle de son objet.
Bref, la pensée critique reste prisonnière d'elle-
même, elle n'arrive pas à rejoindre la réalité.

On ne peut pas imaginer un seul instant qu'un
philosophe tel que le P. Maréchal n'ait pas vu
cette impuissance radicale de sa critique transcen-

[1] J. Maréchal, *op. cit.*, p. 334.
[2] J. Maréchal, *op. cit.*, p. 335.

dentale à se transcender elle-même pour rejoindre
l'ordre existentiel. Si donc il a persisté dans
son entreprise en dépit de l'échec auquel elle
est apparemment condamnée, c'est probablement que lui-même en attendait beaucoup moins
qu'on ne l'imagine communément. Parti de
l'objet de connaissance, il ne pouvait aboutir
qu'à un objet de connaissance, mais la partie
lui semblait valoir la peine d'être jouée, parce
qu'elle se termine sur cette constatation que
l'objet de connaissance dont la position est
logiquement nécessaire pour la critique transcendentale coïncide avec l'objet absolu dont
l'existence réelle est affirmée par la critique
métaphysique. Si, comme nous le pensons, le
réalisme critique du P. Maréchal ne vise pas
plus loin, il devient clair que tout ce que l'on
peut en attendre, en cas de succès, est la preuve
de la *concordance* entre les deux critiques [1] mais
non la justification des conclusions de l'une à
partir des principes de l'autre. A mettre les
choses au mieux, on aura constitué deux sys-
tèmes d'idées tels qu'à chaque élément de l'un
corresponde un élément de l'autre; ils se corres-
pondront comme les points de deux parallèles
qui ne se rencontreront jamais; car la critique
transcendentale postulera éternellement un en
soi sans jamais l'atteindre, au lieu que la soi-
disant critique métaphysique, installée d'entrée
de jeu dans l'en soi de son objet, l'aura toujours
atteint sans avoir jamais eu à le postuler. La

[1] J. MARÉCHAL, *op. cit.*, p. 32.

critique transcendentale aura donc simplement démontré son impuissance à atteindre le réel qu'elle n'a pas voulu accepter.

Encore faut-il, pour arriver à ce maigre résultat, une critique transcendentale particulièrement accommodante, telle, en un mot, que celle de Kant une fois apprivoisée par le P. Maréchal. Nous avons marqué avec quelle honnêteté l'auteur de la nouvelle critique se tient sur le plan du transcendental, mais il s'est rendu cette honnêteté facile en doublant ce plan d'un plan métaphysique parallèle sur lequel il gardait avec l'en soi un contact permanent. Or, ce contact, la critique transcendentale ne se borne pas à ne pas se l'accorder, elle le refuse et l'exclut comme contradictoire avec l'essence même de la critique. Prétendre, non pas même rejoindre, mais doubler la métaphysique d'une critique transcendentale du sujet, c'est vouloir établir une correspondance entre cette critique et ce qu'elle nie. Il n'est pas vrai de dire que la méthode transcendentale d'analyse de l'objet de pensée ne soit que précisive[1], elle est exclusive, et non point accidentellement, grâce à quelque méprise de la part de Kant, mais essentiellement. Même là où elle postule l'existence de l'objet ontologique comme étant ce qu'elle détermine en objet de connaissance, cet objet ontologique *et sa postulation même* restent complètement en dehors de la critique, car il est de l'essence de celle-ci de jeter sur l'objet ontologique une exclu-

---

[1] J. MARÉCHAL, *op. cit.*, p. 32.

sive préalable. La prise en considération critique d'un objet réel serait la connaissance d'un en soi du point de vue des conditions transcendentales de sa connaissance, ce serait *voir l'objet en soi tel qu'il n'existe que comme objet de connaissance.* Toute critique transcendentale conçue comme le commentaire d'une métaphysique commencera donc par refuser au texte qu'elle commente le droit d'exister; elle ne peut justifier la métaphysique, elle ne peut que s'y substituer.

On conçoit que le caractère abstrait de cette opposition entre réalisme métaphysique et critique transcendentale la rende malaisée à percevoir. Pourtant, c'est lui qui confère à cette opposition sa nécessité formelle pure; les impossibilités de fait qui ne manquent pas de se produire lorsqu'on veut mélanger les deux ordres ne sont que les signes extérieurs de la confusion initiale dont elles découlent. Tout réalisme critique exhibe de telles impossibilités, mais si chacun d'eux a les siennes, leur cause reste la même. Dans le cas du P. Maréchal, la confrontation du thomisme avec la philosophie critique entraîne des conséquences aussi dangereuses pour le thomisme qu'inacceptables pour la critique. Dans la transposition qu'il a tentée de l'aristotélisme thomiste en termes de critique transcendentale, le P. Maréchal s'est heurté aux plus sérieuses difficultés, dont la plus grande était de déduire « la réalité nouménale comme nécessité spéculative ». Partons avec lui de ce fait que l'intelligence humaine est discursive, donc aussi qu'elle implique un dynamisme;

admettons aussi que « tout mouvement tend vers une fin dernière, selon une loi, ou forme spécificatrice, qui imprime à chaque étape du mouvement la marque dynamique de la fin dernière[1] »; concédons enfin que la fin dernière objective, forme spécificatrice qui oriente a priori notre dynamisme intellectuel, ne peut être que l'Etre absolu, c'est-à-dire Dieu[2]. Une telle déduction a priori n'a en effet rien qui ne s'accorde avec la métaphysique thomiste. Sans doute, il reste encore à bien préciser la nature exacte de l'affirmation implicite de Dieu que suppose une telle doctrine, mais cette thèse même est susceptible d'un sens thomiste correct, ce qui suffit à l'objet de notre présente recherche. La vraie difficulté n'est pas là, mais plutôt dans l'incompatibilité foncière qui oppose ce transcendental thomiste à celui de Kant, et dans l'impossibilité, pour le thomisme, de se plier aux exigences d'une telle méthode.

Il est en effet manifeste que, du commencement à la fin, cette déduction transcendentale est de nature métaphysique; elle n'est donc aucunement critique et, comme déduction transcendentale critique, Kant la tiendrait avec raison pour nulle et non avenue. Conquérir une fin dernière de la connaissance discursive, et l'identifier avec l'être absolu, c'est le type même des

---

J. Maréchal, *op. cit.*, p. 415.

[2] J. Maréchal, *op. cit.*, p. 424. C'est d'ailleurs pourquoi, dans la doctrine du P. Maréchal, la preuve de Dieu par la cause efficiente (qui est la preuve thomiste par excellence) devient corrélative de la preuve par la finalité. Cf. p. 425.

opérations condamnées par la critique kantienne comme illégitimes, parce qu'elles consistent à réaliser en êtres hypothétiques de simples conditions a priori de la connaissance. Entre le transcendental *abstrait de l'expérience* par le réalisme thomiste et le transcendental *condition de l'expérience* pour la critique kantienne, aucun rapprochement n'est possible. L'un présuppose l'être pour être concevable, l'autre détermine a priori les conditions de la concevabilité de l'être; l'un se trouve soi-même au sein de la réalité nouménale, l'autre s'interdit l'accès de cette réalité nouménale, parce que ce dont c'est l'essence d'être une condition s'interdit l'absolu, cet inconditionné, comme par définition. La transposition du thomisme sur le plan du transcendental métaphysique ne saurait donc avoir pour effet de désarmer la critique; chaque entreprise reste fidèle à son essence, à laquelle, sans se perdre, elle ne saurait renoncer.

Il est malheureusement inévitable qu'en conciliant l'inconciliable on compromette ce que l'on espérait accorder. La déduction transcendentale du thomisme n'est pas une déduction critique, et le seul fait d'être a priori suffirait pour que ce ne fût plus du thomisme. Comme tout réalisme, le thomisme procède soit d'une réalité empiriquement donnée à une autre réalité empiriquement donnée, soit d'une réalité empiriquement donnée à une autre qui ne l'est pas, mais dont il est nécessaire de poser l'existence au nom de la valeur absolue des principes premiers de la raison. Dans les deux cas la raison

s'exerce sur une donnée sensible où quelque
existence actuelle est immédiatement donnée.
La position de l'être absolu n'est donc possible,
dans un réalisme métaphysique de ce genre,
que grâce à la saisie préalable d'un être réel dans
une sensibilité. Bref, la preuve de l'existence de
l'être absolu y est nécessairement a posteriori.
Pour déduire cette réalité nouménale comme
nécessité spéculative, il est nécessaire de renverser
cet ordre. Au lieu d'être posé comme requis
par la raison à partir de l'être saisi dans l'expérience, l'être absolu devient nécessairement
la condition a priori à partir de laquelle l'expérience sensible elle-même est requise. De là la
4e proposition du P. Maréchal : « Une faculté
connaissante discursive (non-intuitive), astreinte
à poursuivre sa Fin par des passages successifs de
la puissance à l'acte, ne les peut effectuer qu'en
s'assimilant un *donné* étranger. Aussi l'exercice
de notre intelligence réclame-t-il une sensibilité
associée [1]. »

Etrange thomisme, en vérité, qui s'astreint à
justifier la nécessité de l'ordre sensible, un ordre
que Kant lui-même s'accordait mais que Fichte
a cru devoir déduire. Au vrai, l'opération qui
consiste à introduire « un donné extrinsèque sous
la finalité absolue du sujet rationnel [2] » n'est pas
moins impossible dans une critique transcendentale que dans un réalisme métaphysique.
Critiquement parlant, c'est une déduction idéa-

[1] J. Maréchal, *op. cit.*, p. 411.
[2] J. Maréchal, *op. cit.*, p. 413.

liste de la sensibilité, que la métaphysique de
Fichte, mais non la critique kantienne, peut se
permettre; thomistiquement parlant, c'est subordonner l'ordre réaliste des fins données dans la
sensibilité à l'ordre idéaliste des fins requises
par la pensée. La sensibilité devient alors exigible
au nom de la Fin absolue dont elle permettra plus
tard de prouver l'existence. En d'autres termes,
alors que, dans le thomisme, l'existence de la
sensibilité nous permet seule d'atteindre l'existence de Dieu soit comme cause efficiente, soit
même comme cause finale, c'est l'existence
de Dieu qui nous permet d'atteindre la sensibilité
dans la doctrine critique du P. Maréchal. Il
y a plus, et pis, car Dieu, ou l'être absolu, n'est
pas et ne peut pas être vraiment prouvé comme
cause finale dans une doctrine de ce genre. Pour
procéder à la manière de Kant, on n'a voulu
partir que des objets de pensée, d'où l'on est
remonté à l'acte qui les constitue, puis au dynamisme orienté de cet acte et à la fin absolue
que ce dynamisme postule. Dieu n'est donc
toujours pour nous qu'une postulation de la
pensée, dont la nécessité logique ne garantit
pas l'existence réelle; quant à la sensibilité,
simple postulation d'une postulation, sa réalité
devient plus problématique encore. Pour avoir
voulu déduire l'être à partir de la pensée alors
qu'on s'était d'abord accordé l'être, on a donc
rendu problématique l'être même que l'on s'était
accordé. En d'autres termes, on a réduit les
appartenances nécessaires aux objets réels dont
se nourrit la métaphysique réaliste à autant de

ces appartenances nécessaires aux objets de pensée sur lesquels travaille la critique. Le thomisme ne requiert pas Dieu comme un postulat, il le pose comme une cause; le thomisme ne requiert pas la sensibilité comme postulée par notre connaissance de Dieu, il l'accepte comme un fait, qui devient le moyen de notre connaissance de Dieu. Intervertir cet ordre essentiel au réalisme métaphysique, c'est le ruiner.

Rien n'empêchera jamais personne de recommencer à nouveaux frais une tentative de ce genre; il n'est guère vraisemblable que beaucoup la conduisent aussi bien que le P. Maréchal; mais toutes, de quelque manière qu'elles soient conduites, aboutiront au même résultat négatif. L'idée même de tirer une métaphysique de la critique est de soi contradictoire et critiquement parlant impossible. Celui qui s'engage dans cette entreprise, comme l'ont fait Fichte et le P. Maréchal, trahit le criticisme en s'y engageant. Rien ne montre mieux où gît le cœur du problème que cette simple question que le P. Maréchal s'adresse à lui-même : « Et d'ailleurs, une philosophie critique peut-elle se dire au bout de sa tâche, avant d'avoir réduit le dualisme de l'Intelligence et de l'Etre[1] ? » Oui, elle le peut, et même elle le doit, à moins de se dissoudre, soit dans une métaphysique du sujet, soit dans une métaphysique de l'objet. C'est ce que Kant, avec une admirable fidélité à ses propres prin-

---

[1] J. MARÉCHAL, *op. cit.*, p. 427.

cipes, a obstinément refusé de faire. On peut
cependant le faire, mais à condition de renier les
exigences fondamentales de la critique et de
forcer le réalisme à transformer ses principes ou
ses conclusions, au risque de ne jamais les retrouver.

CHAPITRE VI

L'IMPOSSIBILITÉ
DU RÉALISME CRITIQUE

L'examen de plusieurs positions critiques du problème réaliste nous a chaque fois ramenés à cette conclusion, qu'entre la critique de la connaissance et le réalisme métaphysique dont la négation est essentielle à la critique, aucun accommodement n'est possible. Ou bien on partira de l'être en réaliste, et l'on aura aussi la connaissance, ou l'on partira de la connaissance en idéaliste critique, et l'on ne rejoindra jamais l'être.

La méthode qui consiste à examiner successivement plusieurs positions concrètes du problème et à en discuter la valeur est à la fois inévitable et insuffisante, car le fait que dix, vingt, cent philosophes n'ont pas trouvé la solution d'un problème ne prouve pas qu'en droit le problème ne puisse pas être résolu. Peut-être y a-t-il cependant lieu d'observer que l'histoire de la philosophie n'en est pas nécessairement réduite à un aussi plat empirisme. Ceux qui le pensent sont victimes d'une illusion, dont les conséquences ne se font que trop sentir dans cette controverse. Il est en effet certain que toute doctrine philosophique comporte une certaine proportion d'éléments contingents, dont l'origine se trouve

dans le temps, le lieu et les diverses circonstances
où fut élaborée cette doctrine. Ces éléments
peuvent former une masse quantitativement
plus importante que le reste, et leur étude fait
partie intégrante de l'histoire des philosophies.
D'autre part, chaque doctrine philosophique
est régie par la nécessité intrinsèque de sa propre
position et par les conséquences qui en découlent
en vertu des lois universelles de la raison. Il
arrive souvent que le philosophe qui définit
pour la première fois une de ces positions, ne
réussisse pas à discerner lui-même toutes les
conséquences qu'elle recèle; pourtant, ces conséquences y sont virtuellement contenues et il
est toujours possible qu'un autre les y découvre.
La fonction propre des écoles philosophiques
est précisément de révéler les conséquences de
principes que ceux mêmes qui ont posé les principes n'y avaient pas aperçues, ou que, les ayant
aperçues, ils avaient cru pouvoir se dispenser
d'accepter. La critique dogmatique d'une seule
philosophie peut donc avoir une portée générale,
si cette critique est correctement conduite et
cette philosophie bien choisie. Lorsque le disciple de Descartes, Regius, déduisit des principes
de son maître que l'existence du monde extérieur n'était pas démontrable, il encourut la
colère de son maître. Pourtant, il avait vu que
la conséquence découlait nécessairement de la
méthode cartésienne et sa conclusion se trouvait du premier coup valide pour toute méthode
idéaliste quelle qu'elle soit.

Ce qui est vrai du cartésianisme l'est aussi

de la critique kantienne. Il serait absurde d'exiger
que ceux qui prétendent adopter une attitude
critique s'astreignent à la lettre du kantisme,
mais on a le droit de leur rappeler en quoi le
criticisme consistait pour Kant lui-même et, quand
on le fait, ils ont tort d'objecter que leur adversaire se montre incapable de comprendre le
criticisme autrement que Kant. Si, comme il
arrive, ils ajoutent à cette objection le reproche
d'historicisme, la situation devient particulièrement amusante, car eux-mêmes donnent alors
le plus parfait exemple d'historicisme qui se
puisse concevoir. Pour être valide, ce reproche
suppose en effet que la position critique du problème de la connaissance a été ce qu'elle fut
parce que c'est ainsi qu'il plut à Kant de la concevoir, d'où il résulte naturellement que, pour peu
que cela lui plaise, chacun de nous reste libre
de la concevoir autrement. En réalité, c'est le contraire qui est vrai. Il n'était certes pas nécessaire
que Kant posât jamais le problème critique : il
aurait pu et peut-être dû mourir avant de le
poser; mais dès lors qu'il le posait, Kant avait le
devoir de se conformer à l'essence de cette position philosophique. Il l'a fait. Rappeler la leçon
de Kant à ceux qui se réclament du criticisme,
ce n'est donc pas les astreindre à un homme ni
à un livre, mais au respect des nécessités for-
melles de la position critique devant lesquelles,
dès qu'il les eut conçues, la pensée de Kant lui-
même a dû s'incliner.

L'un des traits les plus frappants de la litté-
rature critico-réaliste, c'est l'indétermination du

sens que l'on y donne au mot « critique ». En
fait, ce mot peut y signifier à peu près n'importe quelle théorie de la connaissance où le
réalisme dogmatique n'est pas posé comme
allant évidemment de soi. Par exemple, ainsi que
nous l'avons vu, si une philosophie veut indiquer
que son réalisme n'en est pas réduit à se poser
comme une affirmation brute, fondée sur la seule
persuasion du sens commun, elle se déclarera
critique. Réalisme critique s'oppose alors à
réalisme naïf. D'autres fois, on définit le problème critique, « le problème de la valeur de la
connaissance humaine, ou, ce qui revient au
même, de l'aptitude de la pensée humaine à
trouver la vérité ». De ce point de vue, la réfutation du scepticisme radical et la justification
corrélative du dogmatisme deviendra une entreprise critique. Une fois le dogmatisme ainsi
justifié, on pourra se tourner vers ce nouveau
problème : pouvons-nous connaître quelque chose
de distinct de la connaissance même, ou ne
connaissons-nous que la connaissance seule? On
établira alors critiquement la valeur du réalisme
contre celle de l'idéalisme. Enfin, supposant
établi que nous pouvons connaître autre chose
que la connaissance, il restera encore à se demander si nous connaissons l'objet tel qu'il est en
soi, ou seulement, comme le veut le phénoménisme, tel qu'il nous apparaît? La tâche du
réalisme critique sera alors terminée, parce qu'il
aura fini de se justifier[1].

---

[1] Voir, C. Boyer, S. J., *Cursus Philosophiae*, Paris, Desclée
de Brouwer, s. d., t. I, pp. 168-173.

Que le réalisme ait alors achevé de réfuter
ses adversaires, et même les adversaires d'autres
positions que la sienne, on l'accordera sans peine.
Il se sera donc montré critique à l'égard d'autrui,
ce que nul ne nie qu'il puisse et doive faire; mais,
qu'il se soit montré critique à l'égard de soi-
même, c'est une tout autre question. Rien
d'ailleurs ne prouve qu'il doive, ni même qu'il
puisse le faire. Pourtant, s'il ne le fait, ce réalisme ne sera pas critique en tant que réalisme,
et c'est là toute la question. Si le réalisme a de
quoi fonder et mener à bien toutes les critiques
requises, lui-même ne peut se fonder sur aucune
d'elles. Point de départ de toutes, il n'est le
point d'aboutissement d'aucune. Bref, au lieu
que l'idéalisme critique est critique en tant
qu'idéalisme, tout peut être critique dans une
philosophie réaliste, sauf son réalisme même.
Telle est la vraie position du réalisme dogmatique que nous défendons [1].

[1] On m'excusera de le rappeler à ceux qui m'en prêtent
une autre, ce qui rend la discussion plus facile que féconde.
Ainsi, le P. Ch. Boyer (*op. cit.*, p. 170, note 1), me prête la thèse
suivante : « problema criticum ullo modo a scholasticis conside-
ratum esse ». Même à supposer que j'aie parlé des scolastiques
en général, ce qui n'est pas le cas, le chapitre du P. Boyer ne
porte aucunement contre ma position. Je n'ai jamais nié que
saint Thomas ait pris en considération les problèmes que le
P. Boyer entend discuter sous le nom de critique, ni qu'en ce sens
et de cette manière, il ait posé le problème critique. Je nie
seulement que le problème ainsi posé mérite le nom de critique,
thèse que le P. Boyer ne songe même pas à discuter. De même,
le P. Descoqs se fait la partie belle lorsque, dans ses *Praelectiones theologiae naturalis* (t. I, p. 48), il me reproche de refuser
de poser le problème critique parce que ce problème « contient
en lui-même une contradiction ». Jamais je n'ai soutenu que
l'idéalisme critique fût contradictoire; ce qui est contradictoire,

C'est donc ne rien faire contre elle que de nommer critiques des réfutations du scepticisme, de l'idéalisme ou du criticisme qui, du commencement à la fin, présupposent la validité du réalisme. Rien de ce qui présuppose le réalisme ne peut servir à le justifier critiquement. Le refus de la critique n'est pas lui-même une position critique. A moins donc que l'on ne prouve, ce que nul n'a encore entrepris avec succès, qu'un réalisme critique peut justifier critiquement son réalisme même, il faudra se résigner à admettre que, si on lui cherche un sens précis, l'expression « réalisme critique » n'a pas de sens : elle implique contradiction.

Ce premier point défini, il en reste quelques autres à préciser. Tout d'abord, chaque fois qu'ayant discuté quelque forme particulière de réalisme critique on arrive à la conclusion que cette forme-là du moins n'est pas valide, il se trouve quelqu'un pour observer qu'une autre forme pourrait être plus heureuse. Si l'on discute cette autre forme et si l'on en montre l'insuffisance, la même objection reparaît. Elle restera éternellement valable, affirment les tenants du réalisme critique, tant qu'il n'aura pas été prouvé que cette position est impossible en droit. A quoi l'on peut répondre que si ceux qui soutiennent qu'elle est possible en droit n'arrivent

c'est le réalisme critique, ou, plus précisément encore, c'est de vouloir poser le problème de l'idéalisme critique dans la perspective du réalisme thomiste. A cela se limite ma thèse; elle demeure intacte, tant que ce n'est pas précisément celle-là que l'on a réfutée.

pas à la démontrer en fait, il est peut-être excessif
de leur part d'exiger de ses adversaires qu'ils
acceptent cette doctrine sur la foi de ses justi-
fications futures. C'est à ceux qui se réclament
de cette position d'établir qu'elle est possible.
Qu'ils le fassent, et la question sera réglée. En
attendant, on ne peut que mettre en évidence
la contradiction inhérente à chacun des réalismes
critiques jusqu'ici proposés, et chercher si cette
contradiction ne serait pas coessentielle à la
position même de la question.

Une deuxième défense à laquelle recourent
volontiers les réalistes critiques consiste à dire :
bien entendu, s'il s'agit d'une critique de la
connaissance entendue au sens kantien, tout
réalisme critique est impossible; mais Kant n'a
pas de droit exclusif à l'usage du mot *critique*
et il ne doit pas être impossible de concevoir
la critique de la connaissance autrement que
lui-même ne l'a conçue. Pourquoi donc nous
autres, réalistes aristotéliciens et thomistes,
n'aurions-nous pas aussi une Critique?

Pourquoi, en vérité, sinon parce que ceux-là
mêmes qui prétendent poser en réalistes le problème critique ne le posent que pour répondre
à la position kantienne du problème? Nul d'entre
eux ne songe à contester le fait certain, qu'ils
n'eussent jamais imaginé de poser le problème
critique de la connaissance si Kant ne l'eût posé
avant eux. La plupart d'entre eux reconnaissent
sans ambages que saint Thomas lui-même n'a
jamais pensé à le poser, quitte à extraire ensuite
de ses écrits telles ou telles formules que l'on

puisse pressurer à loisir pour en extraire quelque
chose d'approchant. En fait, pour tous ces
réalistes, le problème critique reste lié à sa position kantienne, et même lorsqu'ils ne prétendent
pas discuter ce problème selon la méthode de
Kant lui-même, comme fait le P. Maréchal,
ils entendent le résoudre contre Kant. C'est
leur droit, si c'est possible, mais il y a des conditions à la possibilité d'une telle opération.
Pour résoudre le problème contre Kant, il faut
poser le même problème que lui et le résoudre
contre lui. Car ce n'est pas résoudre un problème
que de le supposer résolu. Pour que le problème
soit le même que celui de Kant, il faut que
sa formulation et la conduite de sa discussion
circonscrivent la même difficulté que celle dont
Kant a prétendu trouver la réponse. Faute de
satisfaire à cette condition fondamentale, il
incombera au réalisme critique de démontrer
qu'il existe un problème critique de la connaissance, qui soit distinct à la fois de celui que
Kant a posé et de la réaffirmation brute du réalisme dogmatique dont la valeur a été niée par
la critique de Kant. Ou bien donc on veut battre
Kant sur le terrain de sa propre critique, ce qui
ne se peut faire sans poser le même problème que
lui; ou bien l'on discutera, sous le nom de critique, un autre problème, et la critique de Kant
demeurera sans réponse. En fait, les réalismes
aristotéliciens qui se disent critiques se gardent
bien de poser aussi rigoureusement la question.
Une certaine marge d'indétermination est nécessaire à leur existence, et, s'ils n'aiment pas

qu'on leur rappelle Kant, c'est que la rigueur
de son exemple leur rendrait difficile de rester
dans cette indétermination. Le dédain dont
certains font preuve à l'égard de l'histoire
s'explique dans une certaine mesure par les
avantages pratiques qu'ils trouvent à la négliger.
Pourtant, négliger l'histoire de la philosophie
n'est pas négliger des faits contingents, mais des
relations abstraites nécessaires qu'il n'est bon
pour personne d'ignorer.

Assurément, il ne s'agit pas ici de nécessités
métaphysiques absolues : si le criticisme de Kant
était métaphysiquement nécessaire, il serait
vrai; mais on peut s'aider à comprendre l'essence
même d'une erreur, en dégageant des contingences historiques qui lui ont donné l'illusion
de sa nécessité absolue, la nécessité au moins
hypothétique et relative qu'elle possède à partir
de son erreur même. Car la philosophie critique
n'est pas née de rien. L'idée s'en est lentement
formée, dans la pensée d'un certain homme
vivant en un certain temps et pensant en fonction d'un état de la philosophie historiquement
déterminé. Et puisque Kant lui-même a résumé
pour nous dans la Préface de la première édition
de sa *Critique de la raison pure*, les conditions où
la philosophie critique prit naissance, rien ne
peut mieux aider à comprendre la nature de son
œuvre que d'examiner ces conditions avec lui.

Ramenées à leur plus simple expression, elles
se réduisent à la constatation d'une antinomie,
elle-même inséparable de la structure de la
raison. Il existe un certain genre de connaissance,

dite métaphysique, où la raison ne peut pas ne pas se poser certaines questions, bien qu'elle soit incapable de les résoudre. En effet, la raison y fait usage de principes qui s'appliquent avec succès à l'expérience : donc ils sont valides; mais comme elle voit que le détail de l'expérience est inépuisable, la raison constate qu'elle n'achèvera jamais de cette façon l'édifice de la connaissance. Pour l'achever, elle pose d'autres principes, qui dépassent toute expérience; mais à partir du moment où l'expérience est ainsi dépassée, la raison se trouve en présence de conclusions qui sont à la fois nécessaires en soi et contradictoires entre elles. Le champ clos où se livre cet interminable combat entre des thèses qu'aucune expérience ne peut départager se nomme la Métaphysique.

Le point de départ des réflexions de Kant est donc la constatation empirique d'un double fait : la renaissance incessante des problèmes de la métaphysique, l'impossibilité de les résoudre. Tels sont les faits. Jadis reine despotique des sciences, la métaphysique est aujourd'hui abandonnée de tous et méprisée. Locke a tenté de la justifier par une physiologie de l'entendement humain qui eût validé ses prétentions à une connaissance transcendante : mais après un renouveau temporaire du vieux dogmatisme, il a bien fallu constater de nouveau son échec. Hume en a pris acte, et son œuvre marque seulement la dernière étape d'une évolution nécessaire : le dégoût de la connaissance métaphysique, l'indifférentisme, et un scepticisme qui s'est étendu de la métaphysique à la science même.

C'est là précisément ce qui donne espoir d'en sortir, car jamais les sciences de la nature n'ont été plus florissantes qu'en ce XVIIIe siècle finissant où la métaphysique semble achever de mourir. Quels que soient les arguments dont Hume ait cru pouvoir conclure que nulle connaissance empirique ne peut être nécessaire, la physique de Newton est là pour prouver que le contraire est vrai. Le succès éclatant de la science newtonienne, et l'enthousiasme avec lequel elle était accueillie, suggérèrent donc à Kant une interprétation positive du discrédit où la métaphysique était tombée. Au lieu d'y voir l'effet d'une lassitude sénile de la raison, il y trouva la preuve que la faculté de juger d'un siècle désormais mûri par l'expérience ne voulait plus se contenter d'une simple apparence de savoir. Au lieu de marquer la sénilité de la raison, l'indifférence générale du XVIIIe siècle à l'égard de la métaphysique en prouvait donc la maturité. Le temps était venu pour elle d'apprendre à se connaître elle-même, en instituant un tribunal qui garantirait ses prétentions légitimes et exclurait les autres. La Critique de la raison pure n'est autre chose que ce tribunal. C'est elle qui, jugeant la métaphysique, au nom des « lois éternelles et immuables de la raison », tranchera en dernier ressort le problème de sa validité.

Kant est donc parti d'une expérience historique. Il y a au moins cet empirisme à l'origine de son entreprise. Sans doute, ce point de départ empirique doit être rapidement dépassé,

puisque la Critique aura pour objet de trouver
et de dire pour quelles raisons nécessaires la
science remporte des succès refusés à la métaphysique. Il n'en reste pas moins vrai que,
comme le dit Kant lui-même, c'est seulement
après que tout eût été essayé, et essayé en
vain : dogmatisme, empirisme psychologique,
scepticisme, qu'il s'est engagé dans la voie de la
critique, « la seule qui restait à suivre ». Ce que
disent les *Prolégomènes* de l'effet produit sur
Kant par la lecture de Hume confirme entièrement le témoignage de la première Préface
de la *Critique*. La critique de Hume a été pour
Kant le constat de mort de la métaphysique;
après cela, il ne lui restait plus qu'à chercher la
cause de ce décès dans la nature même de la
raison.

Une telle entreprise, qui consistait à mettre en
jugement la métaphysique, présupposait donc
une certaine conception de la métaphysique elle-
même. Elle présupposait précisément que la
métaphysique fût conçue à la manière de Descartes, de Leibniz et de Wolf, comme un rationalisme abstrait, libre, ou vide, de tout contenu
empirique et qui ne devrait son éminente dignité
qu'à l'isolement parfait où elle se tient à l'égard
de la connaissance sensible. Lorsque Kant déclare
que l'origine de tout ce malaise se trouve dans
la prétention de la raison à une connaissance
atteinte « indépendamment de toute expérience »,
on voit clairement qu'il a oublié jusqu'à
l'existence d'une métaphysique telle que celle
d'Aristote ou de saint Thomas d'Aquin. Sa for-

mule, qui atteint en plein Descartes et Leibniz, laisse au contraire intacte la métaphysique classique. Je sais fort bien ce que Kant aurait trouvé à lui objecter, mais c'est un fait qu'il ne l'a même pas prise en considération. La conséquence immédiate de cet oubli est qu'au lieu de critiquer la métaphysique, Kant a critiqué ses deux produits de décomposition que lui avait légués le xviiie siècle : d'une part, un rationalisme rigoureux, mais vide, d'autre part un empirisme concret, mais dépourvu de toute nécessité. La notion d'une connaissance rationnelle fécondée par un donné intelligible, étant perdue pour lui, il ne lui restait d'autre ressource que déduire de la connaissance l'intelligibilité de l'expérience. Kant pouvait ainsi obtenir une connaissance expérimentale qui fût à la fois concrète et nécessaire, mais, en situant dans la connaissance la source unique de l'intelligibilité de l'expérience, il la confinait dans les limites de sa propre perfection et la fermait à tout apport extérieur capable de la féconder.

C'est pourquoi Kant ne pouvait manquer d'accepter au moins le formalisme vide de la métaphysique qu'il critiquait. Il ne connaissait profondément d'autre empirisme que le psychologisme invertébré de Hume, et jugeant avec raison que c'était une source assurée de scepticisme, il ne pouvait que préférer un rationalisme sans empirisme à un empirisme sans rationalisme. Si donc sa critique ambitionnait vraiment de chercher, et de trouver, des connaissances à l'épreuve de tout scepticisme, il lui fallait nécessairement s'en tenir à des connaissances indépendantes de toute expérience, comme celles de la métaphysique cartésienne, quitte à limiter ensuite leur portée en raison de leur indépendance expérimentale même. De telles connaissances sont ce que Kant nomme des connaissances pures. Appliquée à la connaissance (et plus tard à la moralité), l'épithète *pure* signifie toujours chez Kant « pure de tout élément empirique ». Comme il nous le dit lui-même : « On appelle *pure* toute connaissance à laquelle n'est mêlé rien d'étranger. Mais une connaissance est surtout dite absolument pure, quand on n'y trouve, en général, aucune expérience ou sensation. » S'il en est ainsi, les connaissances pures sont celles où n'entre aucun élément *a posteriori ;* une connaissance sera donc absolument pure, quand elle sera possible complètement *a priori.*

A partir de ces données, la notion de « raison pure » devient elle-même intelligible. Il y a une raison pure, s'il y a des connaissances pures, c'est-à-dire des connaissances entièrement *a priori.* Or, dès que l'on pose le problème en ces termes, on en voit surgir un autre. Trouver des jugements *a priori* n'est pas difficile. Tous les jugements analytiques le sont, puisque ce sont des jugements où le rapport du prédicat au sujet est un rapport d'identité; mais si ces jugements sont évidents, ils sont aussi stériles. Quand je dis : les corps sont étendus, je formule un jugement analytique évident, car la notion d'extension est incluse dans celle de corps, mais

j'explique ma connaissance, je ne l'étends pas.
Or la science ne se construit que par acquisi-
tion de connaissances et enrichissement des
connaissances acquises; c'est donc du côté des
jugements synthétiques qu'il faut nous tourner
pour en trouver l'origine.

On appellera synthétiques les jugements dans
lesquels le prédicat n'est pas identique au sujet.
Là encore, il est facile d'en trouver, car tous les
jugements empiriques sont de ce genre. Mais
nous venons de dire que les connaissances que
nous cherchons doivent être *a priori*, et avec
raison, puisque la nécessité ne peut se tirer de
l'expérience. Il reste donc à admettre l'existence
de jugements qui soient à la fois synthétiques et
a priori. Or, justement, dans toutes les sciences,
tous les jugements nécessaires sont de ce genre.
Par exemple, en Mathématiques, la ligne *droite*
(qualité) est le plus *court* chemin (quantité) d'un
point à un autre. De même aussi, en Physique :
dans tous les *changements* du monde corporel,
la *quantité* de matière reste la même; dans toute
communication du mouvement, l'action et la
réaction doivent être toujours *égales*. Ce sont
là des jugements qui sont à la fois synthétiques,
a priori et purs. A supposer que la Métaphysique existe comme science, fût-ce au moins
à l'état d'ébauche, elle doit contenir pareillement des jugements de ce genre. Hume prétend
qu'il n'y en a pas; si cela est vrai, il n'y a donc
pas de science métaphysique. Il est vrai que Hume
nie également l'existence de tels jugements en
physique et en mathématiques; mais si Hume

avait raison sur ce point, il n'y aurait ni physique ni mathématique : or ces sciences existent;
donc les jugements sans lesquels ces sciences
seraient impossibles doivent exister aussi. Pour
déterminer dans leur ensemble les conditions
de toute connaissance scientifique en général,
il sera donc nécessaire et suffisant de résoudre
les trois problèmes suivants : comment la mathématique pure est-elle possible? Comment la
physique pure est-elle possible? Comment la
métaphysique pure est-elle possible, au moins
en tant que disposition naturelle et besoin de la
raison? Chercher ainsi, pour chaque ordre de
connaissance, ce qu'il contient de connaissance synthétique *a priori*, c'est chercher ce qui
lui permet de se constituer comme science.
Donc, c'est justifier la prétention de cet ordre de
connaissance au titre de science. On ne peut la
justifier sans la juger, c'est-à-dire sans la critiquer. La critique de la raison consiste donc à
chercher si, oui ou non, il y a dans la raison des
principes de synthèse *a priori*, en mathématiques,
en physique, en métaphysique; à déterminer
quels ils sont et à fixer par là les conditions
auxquelles ces disciplines doivent satisfaire pour
fonctionner comme sciences.

Ainsi conçue, la critique de la connaissance
s'offre à nous avec des caractères définis qui
fixent sa place parmi les autres branches de la
philosophie. D'abord, c'est une science *distincte :*
« une science particulière qui peut s'appeler
Critique de la raison pure ». De plus, comme
elle ne traite que des conditions de nos ju-

gements synthétiques *a priori* sur certaines classes d'objets, elle se constitue sur un plan antérieur à celui de notre expérience de ces objets. Il le faut bien, puisqu'elle étudie les conditions qui rendent cette expérience possible. La Critique est donc une connaissance *transcendentale* à l'égard de l'expérience. Enfin, puisqu'elle porte sur ce qui, dans la raison, est condition de l'expérience, c'est une critique de la raison *pure* de tout élément empirique. On peut donc dire que la critique kantienne constitue une entreprise parfaitement consciente d'elle-même et complètement définie, car c'est son caractère transcendental et *a priori* qui fait d'elle une critique. Ou bien vous prenez les connaissances telles qu'elles s'offrent à vous, comme des faits empiriques donnés, auquel cas vous ne pouvez les juger; ou bien vous voulez pouvoir porter sur elles un jugement, auquel cas il vous faut bien remonter au delà de ces connaissances mêmes pour atteindre un point de vue d'où ce jugement sur elles devient possible. Le seul point de vue concevable est celui de leurs conditions dans le sujet pensant. La possibilité même de la Critique comme science distincte est donc strictement liée à l'attitude transcendentale, qui consiste à chercher dans la raison pure les conditions *a priori* de la possibilité des objets.

Qu'on accepte ou non la position de Kant, on ne peut du moins douter que la Critique ne corresponde, dans sa pensée, à une entreprise définie dans sa méthode comme dans son objet. Supposons à présent qu'un réalisme réclame à son tour le

titre de « critique », quel sens distinct pourra-t-il
donner à ce terme?

Ce ne peut être le sens où Kant lui-même l'entendait. Un réalisme qui se justifierait du point
de vue des conditions pures et *a priori* de l'expérience, à l'exclusion radicale de toute donnée
empirique généralement quelconque, se condam-
nerait à rejoindre les conclusions du kantisme.
Il aboutirait à un monde kantien de l'expérience,
où les objets reçoivent toute leur intelligibilité
des conditions *a priori* qui les constituent comme
objets. A supposer que l'on veuille nommer
réaliste le monde de l'expérience kantienne, ce
n'est pas à ce « réalisme subjectif » que veut
aboutir un défenseur de la métaphysique classique; ce n'est donc pas par la critique de Kant,
entendue comme Kant lui-même l'entendait,
qu'un réalisme objectif de type aristotélicien
peut espérer se justifier.

On pourrait alors essayer de s'installer au
début dans la position critique, pour la forcer
ensuite du dedans, et contraindre en quelque
sorte le sujet connaissant à sortir de soi-même
pour entrer en rapports avec l'en-soi des choses.
Mais on se heurte ici, par delà la lettre de la
critique kantienne, à l'esprit dont elle est née.
La critique de Kant ne se contente pas d'ignorer
ce que sont les choses en soi, elle interdit toute
question à leur égard. Il est de l'essence même de
l'esprit critique de poser toutes les questions
relatives aux conditions *a priori* de la connaissance et de s'interdire strictement toutes les
autres. Par exemple, l'étude des conditions de la

connaissance oblige à la rattacher à une double
souche : la sensibilité et l'entendement. Il faut
donc poser l'une et l'autre. Si l'on demande
ensuite : ces deux conditions de l'expérience
partent-elles en nous d'une racine commune?
Kant répondra : peut-être, mais cette racine
est inconnue de nous; il n'y a donc pas à s'en
occuper. Fichte ne pourra passer outre au
veto de Kant qu'en s'engageant dans le dogmatisme métaphysique, c'est-à-dire en reniant
l'esprit critique. Il en va de même pour les
problèmes qui nous intéressent ici. S'installer
dans la critique avec l'idée d'en sortir, c'est
ne pas s'y installer du tout, car il est essentiel à
la critique que l'on ne puisse pas en sortir.
Elle est le refus *a priori* de toute spéculation
située hors de son enceinte. Disons, si l'on
veut, que le criticiste sait fort bien que son monde
de l'expérience est un décor, et que derrière ce
décor il y a autre chose; mais il ne peut pas
regarder de l'autre côté du décor pour voir ce
qui s'y passe, puisque, chaque fois qu'il tente de
le faire, les conditions *a priori* de l'expérience
changent en un nouveau décor ce qui se cachait
derrière l'ancien. Cette substitution constante
de nouveaux décors aux anciens, c'est le progrès
même de la science, mais la critique implique
par définition que, si le décor peut toujours
reculer devant nous, nous ne puissions jamais
passer au travers. C'est pourquoi rien ne serait
plus vain que d'espérer convaincre un idéaliste
critique en partant de sa propre position de la
question; car sa propre position de la question

interdit que l'on s'en pose aucune autre et la critique implique la négation même de ce que l'on en voudrait faire sortir.

Lorsqu'on va au fond de leurs textes, on finit d'ailleurs par se demander si certains néo-scolastiques ne sont pas beaucoup plus préoccupés de se convaincre eux-mêmes que de convertir les idéalistes. Lorsqu'un néo-scolastique fait plus que manœuvrer pour avoir l'air de poser le problème critique, c'est que lui-même se demande s'il ne devrait pas le poser pour son propre compte. Plusieurs semblent fort peu rassurés sur la justice de leur propre cause. Depuis que Descartes, dont les principes étaient la négation consciente des leurs, a dû démontrer l'existence du monde extérieur, ils se demandent comment leur propre philosophie, qui repose tout entière sur la connaissance du monde extérieur, pourrait bien en démontrer l'existence. Depuis que Kant, dont la doctrine est la négation radicale de leur métaphysique dogmatique, a requis la critique comme un prolégomène à toute métaphysique, eux-mêmes se demandent comment leur propre dogmatisme pourrait bien se justifier par une critique. On dirait que pour eux toute l'histoire de la philosophie est une histoire indifférenciée et qu'un problème doit se poser partout dès qu'il est posé quelque part. C'est pourquoi nous voyons tant de thomistes et d'aristotéliciens d'intention se travailler pour obtenir d'Aristote et de saint Thomas la réponse à des questions nées de l'abandon du réalisme classique. C'est ce qui les engage dans ce que l'on pourrait appeler

un « criticisme naïf », où la preuve suffisante **que**
le problème critique se pose est que : *quelqu'un*
l'a posé[1].

La bonne foi de ceux qui pensent ainsi est
si entière que certains n'hésitent pas à accuser
de mauvaise foi ceux qui ne pensent pas comme
eux. Bien des indices devraient pourtant les
avertir qu'ils se sont engagés dans une impasse.
D'abord, comme nous l'avons plusieurs fois noté,
presque tous ces soi-disant critiques de la connaissance commencent par s'accorder une saisie
méta-empirique du moi absolu, qui n'est peut-
être pas nécessaire au réalisme, mais qui élimine
d'avance toute position critique de la question.
Ensuite, s'étant établis d'emblée dans la connaissance absolue du moi[2], ils entreprennent
de prouver de là, au nom de ce qu'ils nomment
critique de la connaissance, l'existence du monde
extérieur, qu'aucune critique de la connaissance
ne peut, ni même ne doit entreprendre de prouver.
Car ce n'est pas là un problème qui relève de la
critique. Kant lui-même professe un réalisme
immédiat de l'expérience d'objets extérieurs
donnés comme tels dans la forme *a priori* de
l'espace; bref, il soutient un réalisme immédiat
de l'existence d'un monde extérieur kantien.

---

[1] On trouvera des expressions variées d'état d'esprit semblables
dans : G. Picard, *Le problème critique fondamental*, p. 78;
L. Noel, *Notes d'épistémologie thomiste*, p. 23; Roland-Gosselin, *Essai...* ,p. 11; P. Descoqs, *Praelectiones theologiae
naturalis*, t. I, pp. 55-56; Ch. Boyer, *Cursus philosophiae*,
t. I, p. 205.

[2] Par exemple, G. Picard, *op. cit.*, p. 57. — P. Descoqs,
Praelectiones..., p. 50.

Quant à l'existence de l'autre, celui des choses en soi causes des phénomènes, il la prend simplement pour accordée, comme feront après lui Fichte et M. L. Brunschvicg. Il ne s'agit pas là d'une négligence ou d'une facilité que le criticisme s'accorderait, mais d'un refus lié à l'essence même de la critique : le point de vue transcendental des conditions *a priori* de l'objet de connaissance ignore, par définition, le problème empirique de l'existence en soi des objets connus. Il résulte de là que, par un paradoxe qui devrait les surprendre eux-mêmes, les « réalistes critiques » sont aujourd'hui absolument les seuls à se poser le problème de l'existence du monde extérieur, et à se le poser au nom des exigences de la critique qui fait elle-même profession de l'ignorer [1].

---

[1] Ainsi, par exemple, le P. Descoqs soutient sans hésiter qu'une critique réaliste de l'être est possible (voir à ce sujet ses *Praelectiones theologiae naturalis*, t. I, p. 41). L'adversaire qu'il s'oppose lui-même dirait : L'être est-il? Ou je l'affirme, et alors pas de critique; ou je le nie, et alors il est impossible par définition de le soutenir. Selon le P. Descoqs, outre ces deux attitudes, il y en a une troisième qui est également possible : « étant donné qu'il y a de l'être (objet) en fonction de quoi l'on ne peut pas ne pas penser (sujet), on se demande quelle est la valeur de cet être, et donc, quelle est la valeur de la vérité, c'est-à-dire la valeur du rapport de l'objet au sujet » (p. 41). Sur quoi l'on observera que ces formules, en apparence précises, laissent ouverte la question. Prises au pied de la lettre, elles posent effectivement le problème critique; ou du moins, on peut les entendre en un sens tel qu'elles le posent. Si, par être, on entend objet; et si, par objet, on entend objet immanent, le problème critique est en effet posé. Il se réglera entre la pensée et son objet. — Si, au contraire, on entend par objet l'objet ‹ ı soi, le problème critique est éliminé d'avance. — Enfin, si l'on entend laisser ouverte la question, et ne préjuger en rien du genre de réalité de l'objet, on admettra qu'il n'est pas évident

De là, dans les doctrines que nous avons exa-
minées, sauf dans celle du P. Maréchal[1], une

que l'être spontanément affirmé par la pensée soit celui d'un
objet en soi. On s'engage alors à le prouver, (ou à le nier); il
faudra donc aller de la pensée à l'être. C'est pourquoi le P. Descoqs se rallie entièrement à la position du P. Picard (p.38), à la
possibilité de donner un sens légitime au *Cogito* (p. 40), et à la
nécessité, logique et psychologique, qui s'impose à nous, de
faire passer l'ordre de la connaissance avant l'ordre ontologique
(p. 43; *A nosse ad esse...*; c'est donc une variété de plus de
l'hybride idéalismo-réalisme); enfin, à la nécessité de s'élever à un
doute méthodique universel (p. 48). Ce qui semble avoir induit
le P. Descoqs en erreur est la difficulté qu'il éprouve à comprendre
pourquoi ses adversaires refusent de poser le problème. Il croit
que c'est parce qu'à leurs yeux le problème critique « contient
en lui-même une contradiction » (p. 48). Aucunement; ce qui est
contradictoire, c'est de vouloir le poser *dans la perspective du
réalisme classique*, où il ne saurait se poser. On peut poser le
problème critique sans aucune contradiction, mais non le poser
et rejoindre de là les conclusions de saint Thomas. La citation
de Kant (p. 45, note) montre bien la difficulté : la critique de
Kant fonde une dogmatique sur la réduction de la métaphysique
à l'état de science (ut physica) en la rendant entièrement
a priori, c'est-à-dire en ruinant le réalisme même que le P. Descoqs veut fonder.

[1] Il convient d'ajouter à la tentative du P. Maréchal celle que
vient de faire le P. G. RABEAU, *Le jugement d'existence*, J. Vrin,
Paris, 1938. C'est le livre d'un vrai philosophe, dont toute la
pensée tend vers le réalisme, mais qui espère y parvenir par une
méthode analogue à celle de M. L. Brunschvicg dans *La
modalité du jugement*. Toutes les difficultés inhérentes aux tentatives de ce genre se retrouvent donc dans ce remarquable
et profond travail. D'abord, on peut le considérer comme
désavoué d'avance par le criticisme de *La modalité du jugement.*
Pour tout criticisme conscient de son essence, et nul ne l'est
plus que celui de M. L. Brunschvicg, l'existence n'est pas un
prédicat; il n'y a donc aucune manière concevable de faire
jaillir une actualité existentielle au bout d'un jugement. Bref,
le P. Rabeau demande à une méthode critique de résoudre un
problème qu'il est de l'essence de la critique de ne pas poser.
Inversement, pour avoir posé ce problème en fonction d'une
méthode critique, le P. Rabeau se trouve conduit à chercher
dans la doctrine de saint Thomas ce qui devrait s'y trouver

confusion complète entre le point de vue de la critique et celui de l'idéalisme cartésien[1]. Pris de zèle pour l'idéalisme critique au moment où il achève de mourir, ces réalistes se sentent invités à chercher des armes contre ce que Kant publiait contre Descartes et contre eux-mêmes en 1781, dans ce que Descartes avait publié contre eux en 1641. Il leur semble qu'ils seraient des philosophes critiques, s'ils pouvaient s'accommoder d'un réalisme manqué, que Malebranche et Berkeley ont dès longtemps mis en faillite et que le criticisme de Kant n'a pas moins radicalement éliminé que celui d'Aristote. En fait, leurs prétentions se réduisent à moins encore, car ils prétendent demander à Descartes de les dispenser de poser le problème de Descartes comme de poser celui de Kant. Le *Cogito* qu'ils invoquent

si l'appréhension de l'existence actuelle y était l'œuvre d'un intellect dans sa fonction de juger. De là, dans un autre travail du même auteur (*Species, Verbum. L'activité intellectuelle élémentaire selon saint Thomas d'Aquin*, J. Vrin, Paris, 1938), toute une série de recherches conjuguées pour trouver chez saint Thomas une « *species intelligibilis* de l'existence actuelle » (p. 148), comme si ce n'était pas l'homme, mais l'intellect seul qui appréhendait les existences dans la doctrine de saint Thomas. Tout le monde admirera la profondeur de réflexion philosophique des pages 156-158 et 186-187. On peut mettre du talent à vouloir déboucher d'une voie sans issue, et mieux on s'y efforce, plus on démontre au moins ceci, que cette voie est véritablement une impasse. L'effort d'un vrai philosophe n'est jamais perdu.

[1]. Cette confusion s'affirme dans le travail de M. R. JOLIVET, *Le thomisme et la critique de la Connaissance*, où l'auteur se demande (p. 20) si le problème critique se pose nécessairement en termes cartésiens. Assurément non; Descartes est, historiquement, à l'origine de l'idéalisme critique, mais lui-même ne l'a jamais conçu, et si l'on pose le problème de la connaissance en termes cartésiens, c'est dans un idéalisme dogmatique, nullement critique, que l'on s'engagera.

les met d'un seul coup en possession d'un principe absolu [1], c'est-à-dire valable pour tout être
en tant qu'il est ce qu'il est; autant dire qu'en
présence de cette évidence immédiate, le problème critique n'aurait jamais dû se poser; mais
une fois introduits par le *Cogito* dans la méta-

[1] C'est ainsi que M. R. Jolivet cherche la solution du problème
« critique », dans un *Cogito* qui ne serait pas cartésien. Or s'il
est vrai que le *Cogito* (constatation du fait que je suis, puisque
je pense) n'est pas en soi solidaire de l'idéalisme, il le devient
fatalement dès que l'on y fait appel pour poser et résoudre le
problème de la connaissance. Si l'on part d'un *Cogito* qui « n'implique aucunement l'idéalisme » (p. 21), qui considère même
que « le problème de l'existence est un problème arbitraire
que rien ne peut nous imposer et que nous devons absolument
refuser » (pp. 20-21), on ne se posera ni le problème idéaliste,
ni le problème critique. En fait, ce dont on partira pourra bien
porter le nom de *Cogito*, mais il pourrait aussi bien en porter
un autre, car il n'y a de raison d'appeler *Cogito* le point de départ
de la philosophie que si le fait que je pense en est le point de
départ. Il est vain d'alléguer ici saint Augustin (pp. 19-20),
car nul ne nie que le *Cogito* ait place dans un réalisme, la question
est de savoir s'il peut le fonder; or le *Cogito* de saint Augustin
est une arme, et très efficace, contre le scepticisme absolu,
mais il n'est aucunement chez lui le point de départ d'une
justification du réalisme. Il ne l'est d'ailleurs pas davantage
chez M. R. Jolivet, pour qui « le réalisme ne se démontre pas »
(p. 27). Si un réalisme qui ne se démontre pas prétend au titre
de critique, il n'y a plus rien à dire. Pour le faire, il faut avoir
vidé d'abord le mot « critique » de tout contenu distinct. C'est
ce que fait M. R. Jolivet en affirmant contre toute évidence
que, pour Kant, le problème critique consiste à poser un problème qui est « un problème médiéval » (p. 34). Le problème
critique consiste « pour Kant », à constituer « la science des limites
de la raison humaine » du point de vue des conditions pures,
a priori, de la connaissance. Le fait que Kant admet l'existence
de choses extérieures n'autorise pas à dire que « la position
Kantienne ne diffère pas de la position médiévale » (p. 34), à
moins que l'on ne confonde l'extériorité médiévale des choses
par rapport au sujet connaissant avec l'extériorité kantienne
des choses en soi par rapport à la connaissance. C'est donc
identifier deux problèmes qui diffèrent *toto coelo*.

physique réaliste, nous pourrons tout aussi bien nous passer de Descartes que de Kant, puisque l'aptitude de la pensée à saisir un être en tant qu'il est ce qu'il est garantit cette aptitude pour tout être généralement quelconque. On aura donc fait semblant de résoudre le problème de Kant en faisant semblant de résoudre celui de Descartes et, pour faire l'un et l'autre, on aura posé de travers le seul problème que l'on cherchait vraiment à résoudre : pourquoi disons-nous que le monde extérieur existe?

Ainsi l'expression « réalisme critique » a été entendue en bien des sens, mais ces sens ne sont légitimes que lorsque l'expression qui les désigne ne l'est pas. Elle peut vouloir dire que le réalisme n'en est pas réduit à se poser comme une affirmation massive, fondée sur la seule évidence de ce que l'on nomme le sens commun. Réalisme critique s'oppose alors à réalisme naïf; et rien n'est plus légitime qu'une telle attitude, car il est exact que le réalisme doit dépasser de bien loin le plan du sens commun pour atteindre un fondement véritable; mais on la désignerait plus correctement par le nom de réalisme philosophique. Réalisme critique peut encore vouloir dire que le réalisme a de quoi se défendre contre l'idéalisme et qu'il est capable de critiquer la critique elle-même, jusqu'à l'accuser de manquer de critique. Cela aussi est vrai, mais toute critique dirigée par le réalisme contre ses adversaires présuppose la validité du réalisme; il s'agit donc alors d'un jugement de l'idéalisme par le réalisme, où la critique doit tout au réalisme, qui

lui-même ne lui doit rien. On peut enfin nommer
« critique » tout réalisme qui, définissant la
vérité comme la conformité de l'intelligence avec
ce qui est, s'efforce de distinguer, parmi nos
connaissances, celles qui sont vraiment conformes
à ce qui est de celles qui ne le sont pas. Un tel
réalisme s'engagera nécessairement dans la voie
de la critériologie, et par conséquent aussi dans
la théorie de la connaissance, ce qu'il est impossible de faire sans critiquer et juger. Rien de plus
nécessaire, mais ici encore toute cette critique
des connaissances ne sera réaliste que parce
qu'elle présupposera une notion réaliste de la
vérité. Il faut choisir entre celle d'Aristote et de
saint Thomas : la vérité est la conformité de
l'intelligence avec ce qui est, et celle que propose Kant dans sa Logique : la vérité est l'accord
de la raison avec elle-même. Jugerons-nous le
réel en fonction de la connaissance, ou la connaissance en fonction du réel? C'est toute la
question : puisqu'il s'agit ici d'un réalisme qui
critique, il faut nécessairement que le réalisme
se pose antérieurement à la critique qu'il fonde
et lui-même ne saurait y être soumis. Disons donc
qu'une théorie réaliste de la connaissance et
qu'une critique réaliste de nos connaissances
sont choses possibles et nécessaires, mais ni l'une
ni l'autre ne sont l'équivalent d'un réalisme critique et rien n'autorise à leur en donner
le nom. Dès que l'on s'engage, au contraire,
dans une critique *veri nominis*, il va de soi que
la doctrine à laquelle on aboutit a vraiment
droit de se réclamer du criticisme, mais elle

perd celui de se dire réaliste, parce que, dans le jugement d'existence auquel on aboutit alors, l'existence même ne peut être posée que comme un *postulat*, ou un *prédicat*. Le fait que certains s'y résignent prouve à quel point trois siècles d'idéalisme ont oblitéré en nous le sens profond du réalisme existentiel sur lequel reposait toute la philosophie classique. C'est donc la signification du verbe *être* qu'il nous faut essayer de retrouver.

CHAPITRE VII

LE SUJET CONNAISSANT

Les réalismes dont nous avons discuté les méthodes s'accordent à poser le problème de l'existence du point de vue de la connaissance, à laquelle ils réduisent complètement le sujet connaissant. Il naît de là toute une série de problèmes insolubles pour des philosophes qui se veulent réalistes, et qui veulent même l'être à la manière d'Aristote et de saint Thomas d'Aquin.

A quelle faculté de connaître un thomiste peut-il attribuer l'appréhension de l'existence? On pourrait penser d'abord à la sensibilité. Mais une sensation est l'appréhension d'un sensible propre; un sensible propre est une qualité sensible qui modifie un organe sensoriel : couleur, odeur, goût, etc.; or l'existence n'est pas une qualité sensible et nous n'avons aucun organe sensoriel pour la percevoir. L'existence n'est donc appréhendée par aucun sens. Ajoutons d'ailleurs que, puisque l'existence n'est pas une qualité sensible, elle ne peut pas être un de ces sensibles communs, tel que le mouvement, qui sont perceptibles à plusieurs sens différents;

ce n'est donc pas par les sens que nous la connaissons.

D'ailleurs, le terme « existence » désigne un
concept. Il semble donc que ce soit plutôt dans
l'intellect que nous devions en chercher l'origine. Mais, à cela aussi, il y a de sérieuses difficultés. On pourrait d'abord partir de ce fait que
tout ce que nous connaissons s'offre à nous
comme relevant de l'être et qu'il nous est impossible de penser autrement. Le fait est exact,
mais cette nécessité de pensée ne nous garantit
pas qu'une existence concrète, actuelle et extramentale l'accompagne. Prouver qu'elle l'accompagne dans un cas privilégié, comme celui du
moi, ne prouverait pas que l'extrapolation de
cette évidence à tous les cas autres que le moi
ne constitue pas un sophisme, ou du moins une
illusion psychologique injustifiable.

On pourrait ajouter alors que l'intellect fait
plus que penser en termes d'être, il l'appréhende.
Et cela aussi est exact. Mais l'être appréhendé
par l'intellect est l'être en général; même lorsque
nous le concevons comme attribuable à un sujet
particulier, ce n'est pas l'actualité existentielle
de cet être-là que notre intellect conçoit; nous
revêtons simplement ce sujet de notre concept
d'être en général, comme d'un vêtement tout
fait, qui peut servir à désigner n'importe quelle
existence et n'en représente aucune en particulier. Bref, il n'y a d'existence actuelle que celle
des individus; or l'intellect ne conçoit que le
général; donc l'existence comme telle échappe
aux prises de notre intellect.

Nous voici donc confrontés avec un dilemme dont saint Thomas a clairement défini les termes : *est enim sensus particularium, intellectus vero universalium* [1]. Peu importe que l'existence soit singulière : puisqu'elle n'est pas une qualité sensible, le sens ne peut la percevoir. Et peu importe qu'elle soit intelligible, puisqu'elle ne l'est pas pour nous dans sa singularité. Il semble donc que l'existence nous soit inconnaissable.

Il faut pourtant observer que les difficultés auxquelles on se heurte sur ce point tiennent à la manière dont est posé le problème. Demander au sens à part, ou à l'intellect à part de percevoir l'existence, c'est demander l'impossible. Ajoutons même que puisque ni le sens seul ni l'intellect seul ne peuvent l'appréhender, nulle combinaison de connaissances sensorielles et de connaissances intellectuelles ne nous permettra jamais de trouver, dans l'union abstraite des deux, ce qui n'est dans aucune d'elles. Ce n'est pas sur le plan de la connaissance en général qu'il faut poser le problème de manière à pouvoir le résoudre, mais sur le plan du sujet connaissant. Du moins est-il nécessaire de le faire si l'on prétend s'inspirer du réalisme classique, qui n'est que le réalisme naturel de la raison humaine. Comme dit saint Thomas : *Non enim proprie loquendo sensus aut intellectus cognoscit, sed homo per utrumque* [2]. C'est pourquoi, par exemple, nous

<hr />

[1]. Thomas d'Aquin, *In II de Anima*, lect. 5 ; éd. Pirotta, n. 284.

[2]. Thomas d'Aquin, *Quaest. disp. de Veritate*, qu. II, art. 6, ad 3m.

pouvons nous former une certaine connaissance
des singuliers. Par les sens, nous atteignons directement les choses connues, grâce à notre perception de leurs qualités sensibles, et, par l'intellect,
nous atteignons ces mêmes choses grâce aux
concepts abstraits que nous en formons. C'est
donc bien l'homme qui connaît les choses particulières, du fait qu'il pense ce qu'il perçoit.

Ce n'est pourtant pas là le problème exact
dont nous cherchons la réponse. Bien que les
deux questions soient étroitement apparentées,
expliquer la connaissance humaine du *particulier* n'est pas expliquer la connaissance
humaine de l'*existence* du particulier. Les deux
questions restent distinctes, même s'il est vrai
que le particulier seul existe ; car il s'agit toujours
de savoir comment l'existence se fait connaître
du sujet humain connaissant. C'est déjà beaucoup d'avoir défini le point de vue d'où l'on peut
espérer trouver une réponse à cette question.
Plusieurs des interprètes du réalisme classique
l'ont déjà déterminé avec une exactitude parfaite, et l'un d'eux au moins a eu la sagesse de
s'y tenir. « C'est en effet par une sorte de méta-
phore », disait Domet de Vorges, « que nous avons
dit que le sens connaît ceci, que l'intelligence
connaît cela. Dans la réalité, ce n'est à proprement parler ni le sens, ni l'intelligence qui connaît ;
c'est l'homme qui connaît par les sens et par
l'intelligence. Il y a bien plusieurs actions, mais
il n'y a qu'un seul sujet, un seul être qui se déve-
loppe en des sens divers, quoique harmoniques,
et produit ces diverses actions. » D'autres sont

arrivés après lui à la même conclusion [1], que toute
la polémique de saint Thomas contre la doctrine averroïste de l'intellect séparé suffisait
d'ailleurs à désigner comme la seule acceptable.
Aristote l'avait déjà dit dans son *De anima*,
I, 4, 408 b 13-15 : « mieux vaudrait d'ailleurs
ne pas dire que l'âme souffre, apprend ou rai-
sonne, mais l'homme, par l'âme ». De telles
opérations, commente saint Thomas, *non sunt
animae tantum, sed conjuncti*. Et c'est bien cela
qu'il opposera sans relâche au séparatisme
averroïste de l'intellect : « *Homo* autem est per-
fectissimus inter omnia inferiora moventia. Ejus
autem propria et naturalis operatio est intelligere »; situer hors de lui, fût-ce au-dessus de
lui, ce qui est le principe de son opération propre,
c'est simplement dire que l'homme n'est pas
l'homme [2]. Aucune question ne peut se poser
valablement du point de vue du sens seul, ou
de l'intellect seul; toutes doivent finalement
se ramener au *conjunctum*, à l'*homo*, qui est le
seul sujet connaissant concrètement existant.

[1]. M. Domet de Vorges, *La perception et la psychologie
thomiste*, Roger et Chernoviz, Paris, 1892, p. 197. Tout le ch. xii,
De la perception totale de l'être individuel, est orienté dans la
bonne direction et reste, aujourd'hui encore, très utile à consulter.
— On trouvera au moins le principe de la solution correctement
formulé par Ch. Sentroul, *Kant et Aristote*, F. Alcan, Paris,
2ᵉ édit., 1913, p. 306; et N. B. Zamboni, *La Gnoseologia dell'atto,
come fondamento della filosofia dell' essere*, Vita e Pensiero,
Milano, s. d., p. 84. Ces deux auteurs, surtout le second, ont
profondément médité le problème et suivi des voies personnelles
dans leurs essais de solution. Qu'il l'ait voulu ou non, Mgr Zamboni est retourné, pp. 87-89, à Maine de Biran.

[2]. Thomas d'Aquin, *Cont. Gent.*, II, 76, à *Item, in natura
cujuslibet moventis...* et au paragraphe suivant.

Cette attitude n'est plus familière à nos contemporains, même lorsque toutes leurs tendances naturelles les inclinent au réalisme. Car partir du *conjunctum*, c'est partir du corps en même temps que de la connaissance, et si nous partons du corps, il est clair que le problème de l'existence de la matière ne se pose pas pour nous. Or voilà des siècles que le problème se pose pour d'autres; comment, sans s'exclure de la communion des philosophes, parler comme si ce problème n'existait pas? C'est pourquoi tout n'est pas dit même lorsqu'un réaliste a reconnu et proclamé comme une vérité première que l'homme seul est le véritable sujet connaissant. Une fois admis que le point de départ naturel d'une noétique réaliste est le sujet connaissant, il reste à se mettre d'accord sur la nature de ce sujet. Même là, les prestiges de l'idéalisme peuvent encore jeter le trouble dans l'esprit du philosophe et lui faire reperdre le terrain qu'il s'est précédemment assuré. C'est ainsi, par exemple, que le P. Joseph Gredt commence très correctement par soutenir la validité du réalisme naturel contre le réalisme critique. Avec pleine raison, il note que tout réalisme critique, ou bien n'est qu'un titre sans contenu, ou bien implique un illationisme analogue à ceux qu'ont enseignés Descartes, Malebranche et même tels scolastiques des temps modernes : « Au réalisme critique », conclut J. Gredt, « s'oppose le réalisme naturel, selon lequel nous connaissons immédiatement des objets transsubjectifs, tant dans la connaissance sensible que dans la connaissance intellectuelle. C'est le réalisme naturel que notre thèse défend [1] ». On ne saurait donc souhaiter déclarations plus explicites, mais les difficultés commencent dès qu'il s'agit de s'y conformer.

Qu'entendrons-nous par « objets transsubjectifs »? La réponse à cette question dépend de ce que l'on entend par le mot « sujet ». Dans la doctrine du P. J. Gredt, « les objets transsubjectifs sont ceux qui se distinguent de la connaissance non seulement objectivement, mais encore subjectivement selon l'être ». Cette définition suppose évidemment que le sujet en question soit la connaissance, d'où il suit que tout ce qui existe réellement hors de la connaissance est transsubjectif de plein droit. Ainsi, le corps du sujet connaissant est transsubjectif à l'égard de ce sujet même; inversement, pour qu'un objet soit transsubjectif, il n'est pas nécessaire que cet objet soit distinct du corps du sujet connaissant et de ses affections. De ce point de vue, le son reçu dans la membrane basilaire, la chaleur et la pression subies par le corps du sujet sentant sont des objets physiques, transsubjectifs. « Haec non sunt quidem transsomatica, at sunt transpsychica, transsubjectiva [2] ».

Le réalisme naturel du P. Gredt présuppose donc que le corps du sujet connaissant ne fait pas lui-même partie du sujet connaissant, mais

---

[1] J. GREDT, O. S. B., *Elementa philosophiae aristotelico-thomisticae*, Editio Quinta, Friburgi Brisgoviae, Herder, 1920; t. II, pp. 69-70.

[2] *Op. cit.*, t. II, p. 68.

subsiste en soi, hors de ce sujet, avec toutes les affections sensibles dont il est le siège. Une telle hypothèse introduit dans le corps du réalisme thomiste une modification très profonde, ou plutôt elle grève ce réalisme de problèmes peut-être insolubles et que le réalisme naturel ne devrait pas avoir à se poser. A proprement parler, le seul sujet connaissant dont un réalisme naturel puisse partir est l'homme. Il n'en saurait connaître d'autre pour la simple raison qu'il n'y en a pas d'autre. Imaginer, comme on le fait ici, un sujet connaissant au delà duquel se trouverait un corps transsubjectif, lui-même entouré de sujets transsomatiques, c'est considérer la distinction de l'âme et du corps comme philosophiquement équivalente à la distinction de notre corps et des autres corps. Rien de plus étranger qu'une telle doctrine aux positions fondamentales du réalisme classique, où le sujet connaissant est, et ne peut être, que la substance Homme, union de l'âme et du corps. C'est pour l'avoir oublié que le réalisme naturel du P. Gredt a dû s'engager à son tour dans un certain médiatisme contraire à ses aspirations les plus profondes autant qu'à ses intentions maintes fois affirmées. Les sens externes sont manifestement inséparables du corps; ils se trouvent donc, en tant que corporels, relégués dans l'ordre du transsubjectif et distingués du sujet connaissant. Pour employer la terminologie du P. Gredt lui-même, on dira que l'objet immédiat de la sensibilité externe, sans être du transsomatique, est cependant du transpsychique, donc aussi du

transsubjectif [1]. Il suit de là que deux médiations deviennent nécessaires; l'une entre les
états somatiques sensibles et leurs objets transsomatiques : cette première médiation sera l'œuvre
du toucher [2]; l'autre, entre ces mêmes états
qui, étant somatiques, sont transsubjectifs, et
le sujet connaissant. Cette seconde médiation
est-elle possible? A supposer qu'elle le soit,
comment peut-elle s'effectuer? On ne nous le
dit pas, et faute de s'être assuré ce fondement
indispensable, l'édifice entier de ce réalisme
menace de s'effondrer.

Cette indifférence même à l'égard d'un si
important problème ne s'expliquerait pas, si la
doctrine qui en fait preuve ne se résignait en
fin de compte à laisser subsister côte à côte
deux réalismes distincts sans nous dire comment
ils se rejoignent. Car il est vrai que le P. Gredt
soutient sans aucune restriction la validité du
réalisme naturel, pour qui les sens externes
connaissent immédiatement leur objet comme
transsubjectif; mais il est également vrai que
le transsubjectif immédiatement donné se limite
pour lui à la donnée sensible et que sa transsubjectivité se trouve ainsi liée à celle du corps,
posé comme extérieur au sujet connaissant.
Ce réalisme naturel, ou physique, est donc un
réalisme de la pure sensibilité. Inversement,
le réalisme de l'intellect, qui est celui du sujet
connaissant incorporel, est un réalisme, non pas

---

[1]. *Op. cit.*, t. II, p. 74; n. 689, *Scholia.*
[2]. *Loc. cit.*, t. II, p. 76, 2.

physique, mais métaphysique, qui ne porte que
sur l'être abstraitement connu au lieu d'appréhender des actes concrets d'exister. Dans cette
doctrine, l'être qu'atteint la connaissance intellectuelle s'offre bien à nous comme une réalité
transsubjective, en ce sens que son contenu
s'impose à l'intellect avec une nécessité objective. Le contenu pour ainsi dire matériel de la
vérité intellectuelle abstraite n'y dépend pas de
l'intellect, c'est bien plutôt l'intellect qui en
dépend. Pourtant, cette existence objective elle-
même est un produit de l'intellect [1], si bien qu'en
fin de compte le réalisme de l'intellect est un
réalisme métaphysique du possible : *mundus
physicus obicitur sensibus secundum esse suum
physicum, mundus metaphysicus obicitur cogni-
tioni abstractae intellectus secundum realitatem
suam metaphysicam (secundum esse suum possi-
bile)* [2] ».

Cette dislocation du réalisme en un réalisme
physique du réel et un réalisme métaphysique
du possible correspond exactement à la disso-
ciation du sujet connaissant en sujet transsubjectif et en sujet proprement subjectif, mais il
va de soi qu'en une telle doctrine la connaissance
intellectuelle comme telle restera nécessairement
confinée dans un sujet à qui l'accès de l'être
pris dans son actualité physique demeure interdit. Ce n'est donc encore là qu'un réalisme
partiel; or s'il est vrai que tout idéalisme partiel
est partiellement un réalisme, il l'est aussi que

---

[1] *Op. cit.*, n. 687; t. II, pp. 70-71.
[2] *Op. cit.*, n. 690, 2; t. II, p. 77.

tout réalisme partiel est partiellement un idéalisme. Pour retrouver un réalisme pur, il faut
évidemment aller jusqu'au point où le réalisme
physique et le réalisme métaphysique se rejoignent dans l'unité substantielle de l'homme.
Bref, au faux sujet connaissant du P. Gredt, il
faut substituer le *conjunctum*, seul vrai sujet
connaissant.

Prendre cette décision radicale, c'est aussi
prendre pour accordée l'existence du corps
humain. Ii faut donc s'attendre à l'objection
désormais classique contre toute position de ce
genre : refuser de justifier l'existence du monde
extérieur par voie de réflexion critique, c'est en
faire un simple postulat.

Qu'est-ce donc qu'un postulat? C'est une
proposition que l'on demande d'admettre comme
vraie, bien qu'elle ne soit ni évidente ni démontrable. N'importe quel manuel de logique des
sciences fournira cette définition. Si la proposition en question est évidente, ce n'est pas un
postulat, mais un axiome ou principe; si la proposition est démontrable, ce n'est ni un postulat
ni un principe, mais une conclusion. Ainsi,
le postulat dit d'Euclide est une assomption
qui s'offre à la pensée comme telle, bien qu'il
soit impossible de la justifier par voie démonstrative et qu'il soit possible de la nier sans contradiction. Si donc on demande : l'existence
du monde matériel est-elle un postulat? la première réponse à faire est de demander : à qui
posez-vous la question? Si la question s'adresse
à une philosophie de l'intellect, l'existence du

monde extérieur n'est certainement qu'un postulat. Pour une pensée abstraite pure l'existence
du monde des corps n'est ni évidente ni démontrable. La preuve en est que, de ce point de vue,
il est toujours possible de la nier sans contradiction. On obtient alors une métaphysique de
type Berkeley, parfaitement cohérente avec elle-
même et que l'on peut parcourir de bout en bout,
le point de départ une fois admis, sans s'y heurter
au moindre sophisme ni à la moindre contradiction. C'est d'ailleurs ce qui explique l'impression profonde que la lecture de Berkeley produit
le plus souvent sur l'apprenti philosophe. Sa
philosophie semble à la fois incroyable et irréfutable. Elle est en effet irréfutable sur le plan
qu'elle s'est assigné. Inutile d'essayer de la
prendre en faute : c'est la métaphysique d'un
monde possible, que Dieu eût pu créer, s'il l'eût
voulu, au lieu de créer le nôtre, et dans lequel elle
eût été non seulement correcte, mais vraie. Ce
n'est pas la vraie métaphysique, parce que ce
n'est pas la science des premiers principes et des
premières causes du monde défini dans lequel
nous vivons.

Supposons, au contraire, que l'on pose la
question au métaphysicien réaliste, il répondra
sans aucun doute que l'existence du monde
extérieur est pour l'homme une évidence, et
non point un postulat. Sans doute l'idéaliste
restera libre de maintenir qu'il s'agit là d'un
postulat fallacieusement déguisé en évidence,
mais il ne pourra le faire que parce que lui-même
refuse de faire droit à l'expérience sensible,

qui peut seule élever cette assertion au-dessus
de l'état de postulat. Le fait que ce soit un postulat pour l'idéaliste n'entraîne aucunement
que c'en soit un pour le réaliste. Quant à dire
que si l'existence du monde extérieur était une
évidence pour quelqu'un, elle devrait l'être pour
tout le monde, c'est élever au contraire une
objection des plus sérieuses, mais non point du
tout une objection décisive. La question reste
entière de savoir si l'existence du monde extérieur n'est pas en effet une évidence pour tous
les hommes, et même pour les philosophes idéalistes en tant qu'ils sont hommes. Pourquoi
refusent-ils de penser comme philosophes ce
qu'eux-mêmes ne nient pas penser comme
hommes? C'est une autre question. Pour le
moment, le problème qui nous occupe n'est pas
encore de savoir si l'existence du monde extérieur
est oui ou non une évidence philosophique, mais
si c'est une évidence. Pour le savoir, il faut décrire
et situer dans l'ensemble de nos connaissances
la certitude que nous en avons.

Si nous nous en rapportons au témoignage
de l'expérience, ce que l'on peut et doit faire au
début d'une enquête, il paraît difficile de désigner
par un autre nom que celui d'évidence le genre
de certitude que nous avons sur l'existence du
monde extérieur. L'existence actuelle de la page
que j'écris, ou de celle que vous lisez, n'est pas
une évidence intellectuelle de type axiome, car
cette page pourrait n'être pas où elle est; elle
pourrait même n'avoir jamais été écrite sans
qu'il y eût à cela aucune contradiction. D'autre

part, je n'ai ni à me demander ni à vous demander
de l'accepter comme un postulat ; tout au contraire, la perception sensible s'accompagne nor-
malement d'une certitude immédiate si claire
que nous ne songeons guère à la mettre en
question. Nul ne doute que la vue, le toucher,
l'ouïe, le goût et même l'odorat ne soient nor-
malement compétents pour attester des existences, et chaque fois qu'il s'agit pour nous de
vérifier une existence, c'est au témoignage d'un
ou de plusieurs de nos sens, pris à part ou se
contrôlant l'un l'autre, que nous recourons pour
en décider.

Ce sentiment de l'évidence sensible n'est
pourtant que l'évidence d'une perception. Parce
qu'il s'agit d'évidence, il est vain d'en réclamer
une démonstration. La seule chose que celui
qui voit puisse faire pour celui qui ne voit pas
un objet, c'est de le lui faire voir. S'il le voit,
on ne peut pas lui démontrer en outre qu'il le
voit. Les difficultés commencent seulement lorsque le philosophe entreprend de transformer
cette certitude sensible en une certitude de nature
démonstrative qui serait l'œuvre de l'intellect.
C'est alors que naissent les objections idéalistes
classiques contre la validité du témoignage
des sens. Illusions, rêves, hallucinations, toute
la gamme des états pathologiques si chers aux
sceptiques et aux idéalistes de toute espèce
donnent ici leur plein rendement. Du moins,
les philosophes idéalistes semblent le croire,
mais il n'est pas un seul de ces arguments qui
ne porte à faux. L'usage que l'on en fait en épis-

témologie présuppose l'acceptation d'un sophisme de type bien connu : le passage d'un
genre à un autre. On exige en effet alors de l'ordre
des faits empiriques concrets qu'ils répondent
aux exigences de la logique des concepts abstraits. L'argument revient en fait à dire : il
y a de fausses perceptions qui se prennent pour
vraies, donc on ne sait jamais avec certitude si
une perception est vraie ou fausse. A entendre
ceux qui raisonnent ainsi, on croirait qu'il
existe une classe abstraite et idéale des perceptions, où toutes prendraient place, *même les
fausses;* ayant ainsi fabriqué de toutes pièces
la classe de « ce qui a l'apparence d'une perception », on se déclare incapable d'y reconnaître
les vraies des fausses, pour conclure enfin qu'on
ne sait jamais si une perception est vraie. Autant
dire que parce qu'il y a des daltoniens atteints
d'achloropsie, personne ne peut jamais être sûr
que ce qu'il voit n'est pas vert. Pourquoi cette
attitude? Parce qu'ayant traité le sensible comme
du conceptuel, et décrété par là même l'idéalisme,
ceux qui raisonnent ainsi exigent des démonstra-
tions abstraites de ce qui est expérience sensible.
Il va de soi que c'est impossible, non parce que
l'expérience sensible manque d'évidence, mais
parce qu'il est doublement sophistique de vouloir
démontrer une évidence, et de vouloir la démontrer comme conclue de prémisses qui relèvent
d'un autre ordre que le sien. Les rêves, les illusions, les délires et les hallucinations ne sont ni
des essences ni des substances distinctes dont on
puisse déduire, par aucun procédé de raisonne-

ment, des conclusions valables pour un genre
ou pour une espèce. Ce sont des états empiriquement observables et qu'il faut observer
comme tels. De ce qu'il y a des cardiaques, on
peut conclure qu'on ne sait jamais *a priori* si
un cœur est sain ou s'il est malade, mais on n'en
saurait conclure sans sophisme qu'il est impossible de discerner un cœur sain d'un cœur malade.
Istae dubitationes stultae sunt, disait tranquille-
ment saint Thomas d'Aquin, « et elles valent
autant les unes que les autres, car elles sortent
d'une même racine. Ces sophistes veulent que
l'on puisse donner de tout des raisons démons-
tratives. Il est en effet manifeste que ce qu'ils
voudraient, c'est qu'on leur fournît quelque
principe qui leur servît en quelque sorte de règle
pour distinguer l'homme sain du malade ou
celui qui veille de celui qui dort. Et même ils ne
se contenteraient pas d'une connaissance quelconque de cette règle, ils voudraient qu'elle
leur fût donnée par voie démonstrative. » Tout
ce qu'on peut leur démontrer par raison démonstrative, c'est que tout ne peut pas être démontré.
Or, demander que l'on démontre la vérité de
distinctions empiriques dont tout le monde est
capable, c'est demander que l'on démontre un
principe ; répondons-leur donc avec Aristote :
rationem quaerunt quorum non est ratio, demons-
trationis enim principium non est demonstra-
tio [1].

---

[1] THOMAS D'AQUIN, *In IV Metaph.*, lect. 15 ; éd. Cathala,
n. 708-710. Pour la formule d'Aristote, voir *Met.*, IV, 6, 1011 a 13.

Retenons cette précieuse formule. On ne peut pas démontrer la sensation, *parce qu'elle-même est un principe.* Pour comprendre la position réaliste et l'accepter dans sa pureté, il faut donc se souvenir que, dans l'ordre des jugements d'existence, la perception sensible a la nature et la valeur d'un principe de la connaissance. Descartes n'a pas peu contribué à le faire oublier en répandant l'illusion qu'il n'y a d'autres principes que ceux de l'entendement, même dans la philosophie d'Aristote à laquelle il s'opposait. Comme lui-même n'en admettait pas d'autres, il a naturellement supposé que la sensation n'en était pas un pour Aristote, ce qui ne laissait plus au réalisme classique d'autre principe que le concept abstrait d'être. Descartes avait dès lors beau jeu à reprocher à la scolastique de se perdre dans la contemplation stérile d'un principe dont nul artifice ne fera jamais rien sortir. Mais il y a dans l'aristotélisme, outre le premier principe régulateur de tous les jugements, une première origine de toutes nos connaissances, et c'est la sensation.

Tel est le sens plein qu'il convient de laisser à la formule si souvent citée, mais si rarement acceptée dans toute sa rigueur, qu'il n'y a *rien* dans l'entendement qui n'ait été d'abord dans le sens. *Rien* s'applique en effet à tout, même au contenu du premier principe de l'appréhension simple et des jugements : l'être et le principe de contradiction. C'est ce qu'affirme expressément saint Thomas : « Omnis nostra cognitio originaliter consistit in notitia primo-

rum principiorum indemonstrabilium. Horum
autem cognitio in nobis a sensu oritur [1] ». Admettre la formule telle quelle n'équivaut pas
encore à la comprendre. L'envoûtement idéaliste est d'une force telle que presque tout
lecteur moderne conclut aussitôt de ces mots que,
si l'homme ne percevait aucun objet sensible,
l'intellect serait incapable deformuler un premier
principe qu'il contient pourtant en soi et qu'il a
droit de prescrire aux choses. En réalité, c'est bien
dans sa propre lumière qu'il le forme, mais c'est
de la donnée sensible qu'il en emprunte le contenu. Quoi que l'on pense soi-même de la question,
aucun doute n'est possible sur ce qu'en pense
Aristote. Pour lui, comme le remarque justement
l'un de ses traducteurs et commentateurs, « l'impossibilité *logique* d'affirmer et de nier en même
temps le prédicat du sujet, se fonde sur l'impossibilité *ontologique* de la coexistence des
contraires ». C'est bien là ce qu'implique en effet
le texte suivant de la *Métaphysique :* « Il y a des
philosophes qui, comme nous l'avons dit, prétendent, d'une part, que la même chose peut être et
n'être pas, et, d'autre part, que cela peut se concevoir. Quant à nous, nous venons de reconnaître
qu'il était impossible, pour une chose, d'être et de
n'être pas en même temps, *et c'est par ce moyen
que nous avons démontré que ce principe était
le plus certain de tous* [2]. » Telle est la véritable

---

[1] THOMAS D'AQUIN, *De Veritate*, qu. X, art. 6, *Praeterea.*
[2] ARISTOTE, *Métaphysique*, IV, 4, 1005 b 35 — 1006 a 5.
Cf. trad. J. Tricot, t. I, p. 123 et note 1. — Ce passage est si
obscurément traduit dans la *translatio media*, que saint Thomas

tradition aristotélicienne, mais telle est aussi
la seule et unique base sur laquelle on puisse
asseoir un réalisme véritable. Toute vérité, y
compris celle même du premier principe, s'impose à la pensée comme nécessaire parce qu'elle
est d'abord telle dans les choses. C'est parce
qu'en soi, ce qui est ne peut pas ne pas être, qu'il
est impossible pour nous de penser que ce qui est
n'est pas.

Ce qui est vrai du premier principe lui-même
l'est à plus forte raison des jugements formés
à sa lumière sur tout objet de perception sensible généralement quelconque. C'est pourquoi
le sens, principe premier du contenu même du
premier principe, l'est en même temps de toute
connaissance réelle. On peut donc dire que
nos jugements sont pris entre deux extrémités :
l'intuition des principes de l'intellect d'une part et,
d'autre part, la sensation. C'est ce que dit Aristote [1], et ce que saint Thomas répète dans un
texte d'autant plus instructif pour nous qu'il y
répond précisément à une objection tirée du
rêve.

Ce qui distingue à ses yeux le rêve du jugement
formé en état de veille, c'est que, dans le deuxième
cas, le jugement se forme à la lumière de deux
principes extrêmes : l'intellect, qui joue dans les
deux cas, et la sensation, qui fait défaut dans le

lui-même a retourné le problème dans le commentaire qu'il donne
de ce passage : *In IV Met.*, lect. 6; éd. Cathala, n. 606. Bien qu'il
ne l'ait pas lue dans ce passage, saint Thomas a fort bien compris
cette doctrine, comme on pourra s'en assurer plus loin par ce
qu'il nous dira de l'existence actuelle comme cause de la vérité.

[1] ARISTOTE, *Eth. Nic.*, VI, 8, 1142 a 25-29.

premier. En d'autres termes, le jugement du rêveur peut bien se rattacher au premier principe conçu, mais il n'a pas de premier principe perçu où s'appuyer. Bref, la *resolutio ad sensum* ne pouvant ici s'accomplir, notre connaissance manque de l'un de ses principes : ce n'est pas du tout une connaissance réelle, mais un sentiment interne ou un simple jeu de l'imagination [1].

Ainsi, de quelque manière et à quelque profondeur de plan que nous lui posions la question : comment savoir qu'une chose existe? le réalisme répond : en la percevant. Nous voici donc ramenés à une position du problème dont le moins qu'on puisse dire est que le réalisme en est cohérent : comment l'appréhension d'une existence est-elle possible pour l'homme, sujet connaissant doué d'un entendement et d'une sensibilité? A la question ainsi posée, nulle fin de non-recevoir ne peut être opposée du point

---

[1] « Sed quia primum principium nostrae cognitionis est sensus, oportet ad sensum quodam modo resolvere omnia de quibus judicamus; unde Philosophus dicit in III *Coeli et Mundi*, quod complementum artis et naturae est res sensibilis visibilis, ex qua debemus de aliis judicare; et similiter dicit in VI *Ethic.* (cap. VIII in fin.), quod sensus sunt extremi sicut intellectus principiorum; extrema appellans illa in quae fit resolutio judicantis. Quia igitur in somno ligati sunt sensus, non potest esse perfectum judicium nisi quantum ad aliquid, cum homo decipiatur intendens rerum similitudinibus tamquam rebus ipsis; quamvis quandoque dormiens cognoscat de aliquibus quod non sunt res, sed similitudines rerum ». THOMAS D'AQUIN, *Qu. disp. de Veritate*, qu. XII, art. 3, ad 2[m]. Cf. *loc. cit.*, ad 3[m]. La vraie difficulté, pour saint Thomas, n'est donc pas de savoir comment le rêveur peut prendre des images pour des perceptions, mais comment le rêveur peut, en certains cas, *ne pas* prendre ses images pour des perceptions.

de vue de ses termes, que ce soit l'existence, ou la connaissance que nous en avons.

La question préalable soulevée par certains néo-thomistes : il n'y a pas d'indice existentiel, se trouve en effet éliminée par les analyses qui précèdent. Elle est même éliminée par saint Thomas comme une objection de sophiste, ce qui, du moins pour un thomiste, devrait donner à réfléchir. Puisque c'est la sensation qui atteste les existences, nous n'avons pas besoin d'autre indice existentiel que la certitude dont la sensation s'accompagne. Que celui qui ne dispose plus de ce critère soit exposé à l'erreur, c'est chose naturelle. Tant qu'il dort, le rêveur peut ne pas savoir qu'il rêve, mais il sait qu'il rêvait dès qu'il est réveillé. Le cas serait tragique si les philosophes philosophaient en rêve : c'est ce que le réaliste du moins s'efforce d'éviter.

Pas plus que du côté de l'existence, il n'y a de difficulté réelle du côté de la connaissance que nous en avons. Des éclaircissements complémentaires s'imposent pourtant sur ce point, et qui nous montreront quels vastes champs d'exploration psychologique s'offriraient aux réalistes s'ils s'occupaient de résoudre leurs propres problèmes au lieu de s'engager dans des labyrinthes où rien ne les oblige à pénétrer. Si nous envisageons d'ensemble le problème du jugement d'existence tel qu'il s'offre désormais à nous, il se réduit en effet à décrire l'acte complexe par lequel l'homme appréhende l'existence que son intellect conçoit mais ne perçoit pas et que sa sensibilité perçoit mais ne conçoit pas.

L'examen de certaines formules du langage spontané suffit à déceler la généralité du problème posé par le jugement d'existence. Lorsque je dis : « je vois un homme », ou : « je perçois l'existence de cette table », la moindre réflexion permet de constater combien impropres sont des expressions de ce genre. Je ne peux voir ni percevoir *homme* ni *existence*, qui sont des concepts de l'entendement. Ce que je veux dire, c'est que je sais par mon intellect que ce que je perçois par mes sens est un homme, ou un existant. Pourtant, si confuses soient-elles, de semblables expressions traduisent à merveille l'unité complexe de l'expérience psychologique, car c'est bien de cela qu'il s'agit d'abord ici. Lorsqu'on pose le problème de l'appréhension d'un être sensible par un *conjunctum* humain, on est dans l'expérience du commencement à la fin. Il suffit donc de constater que nous exprimons spontanément nos perceptions telles qu'elles s'offrent à nous, c'est-à-dire perçues par un sujet intelligent, et que nous formulons nos jugements tels que nous en concevons les termes, c'est-à-dire des concepts chargés d'images sensibles et souvent même engagés dans des sensations. Bref, l'homme connaît ce qu'il sent et sent ce qu'il connaît.

L'observation directe de ces faits d'expérience interne se suffit à elle-même. Si nous citons en outre saint Thomas d'Aquin, c'est pour assurer ceux qui veulent refaire à leur manière le réalisme classique, que leurs prédécesseurs n'ont pas attendu le xxe siècle pour constater de telles évidences. Peu importe le langage technique

dont use saint Thomas, pourvu que l'on perçoive sous les termes dont il use la réalité qu'ils
signifient. Les psychologies restent libres de se
refaire une autre langue pour exprimer des observations plus poussées; saint Thomas a eu du
moins le mérite d'attirer avec insistance l'attention des observateurs sur le fait important que
l'intellection de l'homme est l'acte d'un intellect
humain et que la sensation de l'homme est l'opération d'une sensibilité humaine. La sensibilité de
l'animal est elle-même déjà beaucoup plus que
l'enregistrement passif d'impressions subies. Le
comportement des animaux prouve qu'ils sont
capables d'acquérir une expérience purement sensible et, jusqu'à un certain point, de s'adapter aux
milieux divers où ils se trouvent. Cette adapta-
tion peut atteindre une telle souplesse que leurs
réactions miment souvent les opérations du raisonnement. L'aptitude des images à se combiner
et s'organiser en séries qui conduisent l'animal
à des actes appropriés aux circonstances est ce
que l'on nommait au moyen âge l'*aestimativa*.
En tant qu'il est lui-même animal, l'homme en
a une; il se débarrasse même volontiers sur elle
du soin de conduire bien des actes que, dans des
circonstances normales et sauf imprévu, son
corps accomplit d'autant mieux que sa raison
s'en désintéresse davantage. Pourtant, les philosophes médiévaux donnaient souvent à l'*aestimativa* de l'homme un nom distinct; ils l'ap-
pelaient *cogitativa*, ou même *ratio particularis*, non
pas du tout parce qu'elle serait en l'homme une
fonction de la raison, mais parce qu'elle opère

en l'homme comme la sensibilité d'un être intelligent. L'expression *ratio particularis*, dont l'apparente confusion exprime la communication de fonctions distinctes dans l'unité d'un même sujet, signifie donc que, comme la mémoire de l'homme est capable d'opérations dont celle de l'animal est incapable, l'empirisme sensible de l'homme est capable d'opérations plus semblables encore que celles de l'animal aux opérations de la raison. Pourquoi? Parce que, dit saint Thomas, notre sensibilité possède *aliquam affinitatem et propinquitatem ad rationem universalem, secundum quamdam refluentiam* [1]. Les expressions sont volontairement vagues; c'est à la psychologie qu'il appartiendrait aujourd'hui de leur donner un contenu précis. Ce qui nous importe, c'est le fait lui-même : l'osmose qui se produit entre l'entendement et la sensibilité dans l'unité du sujet connaissant humain.

Comme on pouvait le prévoir, le phénomène se produit pareillement en sens inverse : à l'intellectualisation de la sensibilité par l'entendement correspond une sensibilisation de l'entendement par la sensation. C'est ce que veulent dire certains brocards d'école que beaucoup répètent, mais que tous ne prennent pas au sens plein qui leur appartient. Il ne suffit pas en effet de dire que l' « on ne pense pas sans image », il faut comprendre que cela même que nous concevons par l'intellect nous est offert par et dans les données de la sensibilité. De même que la chose

---

[1] Thomas d'Aquin, *Sum. theol.*, I, qu. 78, art. 4, ad 5ᵐ.

perçue est un connaissable qui s'ignore, l'espèce sensible est riche d'un intelligible que le sens ne connaît pas. Or, non seulement il y est, mais il n'est pour nous nulle part ailleurs au moment où nous le connaissons par l'intellect. Nous ne sommes pas des Intelligences séparées qui penseraient des Idées platoniciennes. Les choses sensibles existent indépendantes et séparées les unes des autres, mais il n'existe pas pour nous d'intelligibles séparés du sensible comme une chose peut l'être d'une autre. C'est pourquoi, dit saint Thomas, les intelligibles de notre intellect humain sont dans les espèces sensibles *secundum esse*. Nous les y pensons parce que c'est là qu'ils existent. S'agit-il d'apprendre quelque chose? il nous faut d'abord une sensation. S'agit-il de penser et de réfléchir à ce que nous savons déjà? il nous faut recourir, pour concevoir, à des images sensibles, elles-mêmes déposées en nous par des sensations [1]. On voit par là combien il s'en faut que le problème se réduise à la formule que cite si volontiers le cartésiano-thomisme contemporain : *intellectus est universalium, sensus vero singularium*. Assurément, la formule est vraie, mais il ne faut pas la lire comme s'il y était question d'un entendement cartésien séparé d'une sensibilité cartésienne, dans quelque « Homme de René Descartes » fait d'une Pensée unie à une Machine. C'est ce que font tous ceux qui, professant avec

---

[1] THOMAS D'AQUIN, *In III de Anima*, lect. 13; éd. Pirotta, n. 791.

saint Thomas et Aristote que l'homme est l'unité
substantielle d'une âme et d'un corps, posent
le problème de la connaissance comme s'ils ne
savaient pas que le corps de l'homme existe et
tentent la tâche impossible d'établir la liaison
entre le monde matériel et une âme désincarnée.
Ce n'est pas ainsi que se pose le problème pour
un réalisme cohérent. L'intellect ne connaît que
l'universel, mais il ne le connaît que dans l'image,
donc, en fin de compte, que dans la perception
du singulier. C'est pourquoi, en un sens, l'homme
acquiert une certaine connaissance intellectuelle
du singulier et peut même user de sa raison pour
se retrouver, jusqu'à un certain point, dans
l'idiosyncrasie des individus avec lesquels il a
affaire. La *ratio particularis* met à sa disposition
pour cela des groupes organiques d'images
associées, dont la texture souvent subtile atteste
l'empirisme d'une sensibilité d'être intelligent;
que l'homme enrichi de cet apport s'en pénètre
et s'en imprègne, qu'il laisse alors à son entendement la tâche d'exprimer ce que lui-même vient
de devenir, et l'on verra les concepts anciens
rétrécir leur extension pour exprimer cet objet
nouveau, s'assouplir pour en épouser les con-
tours, jusqu'à ce que jaillisse enfin de la pensée
profonde la parole faite pour lui qu'attendait tout
notre être. Assurément, cette parole reste encore
trop lâche pour adhérer parfaitement au singulier qu'elle exprime, mais elle est bonne si
c'est, de toutes les paroles concevables, celle qui
l'exprime le mieux. Ainsi, comme le dit saint
Thomas, la pensée peut connaître le particulier

14

à sa manière : *mens singularia cognoscit,* d'abord
par un effort de réflexion qui lui permet de retrouver dans le concept l'image et la sensation dont
elle l'a tiré, ensuite, et inversement, parce que
le mouvement naturel de l'âme va vers les choses
jusqu'à ce qu'elle parvienne à s'y unir. Laissons
d'ailleurs ici la parole à saint Thomas d'Aquin,
dont le thomisme ne ressemble guère à celui
du réalisme critique. La pensée, nous dit-il,
« *continuatur viribus sensitivis...* secundum quod
motus qui est ab anima ad res, incipit a mente,
et procedit in partem sensitivam, prout mens
regit inferiores vires; *et sic singularibus se immis-
cet* mediante ratione particulari, quae est potentia quaedam individualis quae alio nomine dicitur cogitativa, et habet determinatum organum
in corpore, scilicet mediam cellulam capitis [1] ».
Voilà qui ressemble fort à la glande pinéale de
Descartes, mais la pensée cartésienne n'est pas
celle d'une âme, ce n'est qu'une Pensée; elle ne
se mêle pas au sensible, et c'est pourquoi nous
la voyons dicter cinq méditations métaphysiques
pour démontrer l'existence d'un monde extérieur
dont Descartes, sinon elle, n'a jamais douté.

Le problème du jugement d'existence vient
ainsi rejoindre, chez saint Thomas, le problème
analogue de l'appréhension du singulier. Il ne
peut en être autrement dans une doctrine où
le singulier seul existe. Si nous passons en revue
ce que l'entendement appréhende *immédiatement*
à la rencontre de la perception sensible, nous

---

[1] THOMAS D'AQUIN, *Qu. disp. de Veritate,* qu. X, art. 6, ad
Resp.

aurons la liste des cas où l'on peut dire que,
bien qu'il soit une connaissance de l'universel,
l'intellect *voit*. La position thomiste est ici des
plus nettes. Il s'agit de ce qui, *ad occursum rei
sensatae, apprehenditur intellectu*. Par exemple,
si j'entends quelqu'un parler ou que je le voie
se mouvoir, je sais immédiatement qu'il est
vivant; je peux donc dire que je vois qu'il vit :
*apprehendo per intellectum vitam ejus, unde pos-
sum dicere quod video eum vivere*[1]. De même
encore, si quelque individu ou quelque animal
s'offre à ma vue, je ne me contente pas de réagir
pratiquement selon leur nature, je les perçois
comme étant cet individu ou cet animal-ci. L'a-
nimal n'a pas cette connaissance sensible de
« l'individu perçu sous une nature commune »,
mais notre raison particulière nous la donne,
« quia vis sensitiva in sui supremo participat
aliquid de vi intellectiva in homine, in quo
sensus intellectui conjungitur[2] ».

Dans une doctrine où l'homme conçoit en
quelque sorte le singulier et perçoit en quelque
sorte l'universel, parce qu'en leurs échanges
instantanés et incessants la pensée et le sens
collaborent à l'unité d'un même acte, la connaissance intellectuelle est juste le contraire de la
pensée abstraite et vide dont on fait reproche à
l'aristotélisme. Bien loin de s'y réduire à une pure
forme logique, le concept y est toujours pensé
dans et par le concret. En fait, ce que l'on cri-

[1] THOMAS D'AQUIN, *In II de Anima*, lect. 13; éd. Pirotta,
n. 396.
[2] THOMAS D'AQUIN, *op. cit.*, n. 397.

tique sous la désignation d'abstraction scolastique est la caricature d'une abstraction réaliste, où le concept n'aurait plus ni le contenu empirique que lui attribue Aristote, ni celui d'une nature simple entendue à la manière de Descartes. L'erreur du cartésiano-thomisme est de croire viable un monstre qui n'intéresse que la tératologie philosophique. Si l'on part d'une notion réaliste de l'abstraction, il est vain de se demander comment rejoindre à partir d'elle un objet qu'elle présuppose. Si l'on ne veut pas qu'elle le présuppose, mieux vaut renoncer d'abord à la traiter comme une abstraction, puisqu'il n'y a plus rien dont elle puisse être abstraite. Que l'on en fasse donc une idée de quelque pensée cartésienne, mais que l'on ne prétende pas gagner sur les deux tableaux à la fois. L'abstraction réaliste est une appréhension de l'universel *dans* le singulier et du singulier *par* l'universel. Le concept et le jugement qui l'exprime sont donc pour nous les succédanés d'une intuition intellectuelle du singulier qui nous manque, mais ce que nous ne pouvons appréhender comme ferait un pur esprit, parce que nous sommes des hommes, nous pouvons l'appréhender en hommes, le serrer d'aussi près que possible, à la jonction de notre intellect et de notre sensibilité.

CHAPITRE VIII

L'APPRÉHENSION DE L'EXISTENCE

Si l'on admet que le seul sujet connaissant réel soit l'homme, et que l'appréhension de l'existence rentre dans la classe des appréhensions du singulier, il reste à chercher en quoi l'appréhension de l'existence se distingue des autres cas qui forment la même classe. C'est même là, semble-t-il, l'une des principales difficultés qui ont conduit certains réalistes à s'engager dans la voie de la critique. De difficile, ils rendaient ainsi leur problème impossible, car dès qu'une difficulté surgit à propos de l'être, ce n'est pas à la critique, mais à la métaphysique qu'il faut en demander la solution. Or, nous l'avons vu, les cartésiano-thomistes veulent une justification critique de la métaphysique; il leur faut donc expliquer comment l'appréhension de l'existence est possible avant de savoir ce qu'est l'existence. Puisque rien ne nous oblige à invertir ainsi l'ordre normal des questions, demandons-nous ce que le terme « existence » désigne avant de savoir si et comment ce qu'il désigne peut être appréhendé.

Tous les réalistes critiques accordent sans discussion que l'existence n'est pas une qualité sensible. De là leur inférence immédiate : l'existence ne peut pas être perçue par les sens. L'une et l'autre propositions sont vraies, mais, nous l'avons vu, elles ne sont pas toute la vérité sur la question. De même, les réalistes qui se réclament de la tradition aristotélicienne tiennent pour accordé que le premier principe de la connaissance intellectuelle est l'être, mais ils ne s'entendent pas toujours sur la formule de ce principe ni même sur la réalité qu'il exprime. Certains prétendent en effet que le premier principe est le principe d'identité, d'autres soutiennent que c'est le principe de contradiction. Si l'on concède qu'il y a de bonnes chances pour que saint Thomas ait eu le sens juste de sa propre doctrine, on nous absoudra d'avoir laissé les néo-thomistes à leurs controverses et de demander à celui dont ils se réclament ce qu'il a pensé de la question.

En fait, saint Thomas pose le problème autrement. Ce qu'il dit de l'être est même si clair, lorsqu'on prend dans leur sens plein les formules dont il use, que nul ne devrait douter un seul instant de la manière dont, selon lui, l'intellect humain appréhende le plus immédiat de ses objets. On a cité sans se lasser les formules empruntées à Avicenne où saint Thomas affirme que l'être est la première chose qui tombe dans l'intellect [1]. Mais on n'a peut-être pas assez re-

---

[1] « Primo in intellectu cadit ens, ut Avicenna dicit... ». S. Thomas d'Aquin, *Met.*, I, lect. 2; éd. Cathala, n. 46. Cf. : « Dicemus igitur quod ens et res et necesse talia sunt quae statim imprimuntur in anima prima impressione, quae non acquiritur ex aliis notioribus se ». Avicenne, *Met.*, tr. I, cap. 6, fol. 72 b A.

marqué les termes dont use saint Thomas pour
décrire l'appréhension de l'être. Ce premier de tous
les objets de pensée présente au plus haut degré
le caractère, qui se retrouve en d'autres, d'être
appréhendé immédiatement au contact du sensible. Or nous venons d'étudier la nature des
appréhensions intellectuelles de ce genre. Elles
forment la classe de ce que saint Thomas appelle
les « sensibles par accident », ce qui signifie que,
bien qu'ils soient en soi des intelligibles, les
objets de ces appréhensions sont en quelque sorte
vus, c'est-à-dire sentis, parce qu'aucune opération intellectuelle ne s'interpose entre leur conception et la perception sensible dans laquelle
l'intellect les appréhende.

On peut donc tenir pour certain, dès le début
de cette nouvelle enquête, que l'appréhension
de l'être par l'intellect consiste à *voir* directement
le concept d'être dans n'importe quelle donnée
sensible. Pour l'instant, cherchons d'abord à
préciser la nature de ce que l'intellect appréhende
lorsqu'il conçoit le premier principe. Pour y parvenir, il faut distinguer deux opérations de l'intellect : l'une, qui est simple, par laquelle il conçoit
les essences des choses ; l'autre, qui est complexe,
par laquelle il affirme ou nie ces essences les
unes des autres, et que l'on nomme jugement.
Dans chacun de ces deux ordres, il y a un pre-

Autres citations analogues : « Illud autem quod primo intellectus concipit quasi notissimum, et in quo omnes conceptiones
resolvit, est ens, ut Avicenna dicit in principio Metaphysicae
suae (lib. I, c. 9) » S. Thomas d'Aquin, *De veritate*, qu. I, art. 1;
Resp. — Cf. *Met.*, X, lect. 4, éd. Cathala, n. 1998; XI, lect. 5,
n. 2211.

mier principe : l'être dans l'ordre de l'appréhension des essences, le principe de contradiction dans l'ordre des jugements. Pourtant, ces
deux ordres sont hiérarchisés, car le principe de
contradiction présuppose l'intellection de l'être :
*hoc principium, impossibile est esse et non esse
simul, dependet ex intellectu entis.* Ainsi, le principe qui est premier dans l'ordre des appréhensions simples est aussi premier absolument,
puisqu'il est présupposé par le principe de contradiction lui-même. Bref, le premier principe
au sens plein de l'expression, c'est l'être [1].

Ici surgit une sérieuse difficulté. Qu'est-ce
donc que cet être que l'intellect appréhende?
Saint Thomas nous dit que c'est la première
chose qui tombe dans l'intellect dans l'ordre du
quod quid erat esse. Il semble donc que l'on soit
alors dans l'ordre des essences. Mais si ce que
l'intellect appréhende n'est que, si l'on peut dire,
l'essence de l'existence, ce n'est pas l'acte même

---

[1] « Ad hujus autem evidentiam sciendum est quod, cum
duplex sit operatio intellectus : una, qua cognoscit quod quid
est, quae vocatur indivisibilium intelligentia : alia, qua com-
ponit et dividit : in utroque est aliquod primum, quod cadit
in conceptione intellectus, scilicet hoc quod dico ens; nec aliquid
hac operatione potest mente concipi, nisi intelligatur ens. Et
quia hoc principium : impossibile est esse et non esse simul,
dependet ex intellectu entis, sicut hoc principium : omne totum
est majus sua parte, ex intellectu totius et partis : ideo hoc etiam
principium est naturaliter primum in secunda operatione
intellectus, scilicet componentis et dividentis. Nec aliquis potest
secundum hanc operationem intellectus aliquid intelligere,
nisi hoc principio intellecto. Sicut enim totum et partes non
intelliguntur nisi intellecto ente, ita nec hoc principium omne
totum est majus sua parte, nisi intellecto praedicto principio
firmissimo ». S. Thomas d'Aquin, *Metaph.*, lib. IV, lect. 6; éd.
Cathala, n. 605.

d'exister qu'il saisit; donc l'existence actuelle
lui échappe et nous revenons ainsi à la difficulté
que nous espérions avoir éliminée : l'intellect,
faculté de l'universel, ne saisira jamais l'existence
concrète prise dans sa singularité. L'objection
n'est pas feinte pour les besoins de la cause :
elle est imposée par les textes. Que l'*intelligentia
indivisibilium* ait l'essence pour objet, c'est vrai
comme par définition. Comme le dit saint Thomas
après Aristote, l'intellection des indivisibles *consistit in apprehensione quidditatis simplicis;*
ou encore : *intellectus habet verum judicium de
proprio objecto, in quod naturaliter tendit, quod
est quidditas rei;* mais les quiddités, ou essences,
appréhendées par l'intellect, n'ont d'autre existence que celle d'un être de raison : *quidditatis
esse est quoddam esse rationis* [1]; dire que nous
n'atteignons l'être que sous les espèces de l'être
de raison, c'est donc bien admettre que notre
intellect est, dès le début, coupé de l'ordre existentiel comme tel. Non seulement le premier
principe n'atteint pas l'existence, mais il ne la
voit même pas. Comment donc l'intellect pourrait-
il l'atteindre par une opéiation ultérieure quelconque, puisque, quelle qu'elle soit, elle dépendra
nécessairement de ce principe?

Pour résoudre ce problème, notons d'abord
que la difficulté n'a pas échappé aux tenants
du réalisme classique. Je veux dire par là qu'ils
n'ont pas confondu l'être abstrait conçu par la
pensée avec l'être actuel des choses *quae secun-*

[1] THOMAS D'AQUIN, *In I Sent.*, 19, 5, 1, ad 7[m].

dum esse totum completum sunt extra animam. A supposer donc que l'aristotélisme ait échoué dans son entreprise, ce n'est certainement pas pour avoir commis cette méprise. Peut-être est-ce nous, au contraire, qui nous méprenons sur la nature de l'existence et par conséquent sur les conditions requises pour qu'elle nous devienne connaissable. Elle échappe aux prises du sens, qui ne peut percevoir que telles ou telles qualités sensibles et les grouper en associations stables. Ce que le sens perçoit existe et l'existence est inclue dans ce que le sens en perçoit, mais lui-même est porteur d'un message qu'il est incapable de lire et c'est l'intellect seul qui le déchiffrera. Pourtant, l'intellect lui-même ne le déchiffrera pas complètement, Ce qu'il peut lire dans la donnée sensible, c'est la réponse à la question : Qu'est-ce que c'est? Or la réponse à la question *quid*, c'est, comme l'on dit, la *quiddité*, c'est-à-dire : la définition qui indique *quid est res*. Cette définition, ou quiddité, est l'essence appréhendée par l'intellect dans la donnée sensible, et c'est pourquoi les philosophes substituent au terme « essence » le terme de « quiddité ». Ainsi, dans la connaissance que nous avons du monde extérieur, l'intellect appréhende immédiatement l'essence de son objet telle qu'elle se manifeste à lui par les effets sensibles qu'elle cause. Si donc on admet de désigner par le mot « nature » l'essence de la chose en tant qu'elle régit les opérations que cette chose accomplit et que nos sens perçoivent, on pourra dire que nous appréhendons par l'intellect les quiddités des natures sensibles. Mais cette essence de la chose n'est pas en elle-même notre réponse à la question *quid;* elle est ce dont notre réponse à la question donne la définition. De même, l'essence n'est pas d'abord et immédiatement le principe des opérations de la chose; elle l'est, mais elle ne fait opérer la chose que parce qu'elle la fait d'abord exister. Telle est l'essence : *essentia dicitur secundum quod per eam et in ea res habet esse* [1].

Pour aller jusqu'au fond de cette analyse du concret, il faut donc dépasser la simple description des éléments dont il est formé pour atteindre leurs fonctions. Puisque l'*essentia est secundum quam res dicitur esse,* l'essence qui fait qu'une chose composée de matière et de forme reçoit le nom d'être doit nécessairement inclure sa matière et sa forme. L'essence est l'unité des deux. Pourtant, les deux ne jouent pas le même rôle dans sa composition, car ce qui *cause* l'être, ou l'essence, c'est la forme. Ainsi, la quiddité que définit l'intellect, recèle l'essence que la quiddité définit; et l'essence recèle à son tour la forme, cause de l'être de l'existant; et l'acte par lequel cette forme fait que la chose existe, c'est le cœur même de la réalité, à moins que l'on ne préfère dire que c'en est le sommet. Peu importe la manière dont on s'exprime, si l'on comprend qu'il s'agit ici de l'acte dont la perfection intrinsèque, du fait qu'elle pose l'existence, pose en même temps la per-

---

[1] Thomas d'Aquin, *De ente et essentia,* cap. I, dernière phrase.

fection de tout le reste. On dira, par exemple,
que tout le reste est en puissance à l'égard de
l'énergie existentielle de la forme, parce qu'elle
est la cause en vertu de laquelle tout le reste
existe. C'est assurément une perfection que d'être
du feu, ou d'être un homme; mais, par delà le
fait d' « être une certaine chose », il y a le fait
d'être, purement et simplement. Ainsi entendu,
l'acte d'exister apparaît au réaliste comme le
fond ultime de ce qui cause l'expérience : *esse est
inter omnia perfectissimum;* ou encore, *hoc quod
dico esse est actualitas omnium actualitatum, et
propter hoc est perfectio omnium perfectionum.*
Lorsque, dans l'expérience sensible, tel ou tel
être s'offre à la connaissance, l'intellect n'appréhende pas l'existence *plus* ce qui la fait telle ou
telle. Une certaine « manière d'être » ne consiste
en rien de plus qu'être d'une certaine manière;
bref, le mode selon lequel une chose existe se
confond, pour cette chose, avec sa manière
propre d'exister. Quant à l'être pris dans son
actualité pure et sans aucune détermination mo-
dale, il ne peut tomber sous les prises d'une
expérience naturelle : c'est Dieu.

Dans un tel réalisme de la connaissance, lui-
même intégré à une métaphysique réaliste,
la détermination de l'existence à telle ou telle
forme particulière exprime donc simplement
le mode défini de limitation qui constitue son
intelligibilité. C'est pourquoi, dit saint Thomas
dans un texte des plus vigoureux, on ne peut
déterminer les différences par lesquelles les
formes se distinguent entre elles, qu'en usant

de leurs matières propres en guise de différence spécifique. Car une forme est acte en tant que forme, donc elle est de l'être, et comme on ne peut rien ajouter à l'être qui ne soit encore de l'être, on ne peut distinguer une actualité existentielle comme telle d'une autre actualité. Les formes ne doivent leur distinction qu'à la limitation de leur acte existentiel par leur matière. Comment, par exemple, distinguer cet acte qu'est l'âme de tous les autres actes? En disant de quoi l'âme est l'acte : du corps organisé susceptible de vie [1]. La quiddité for-

---

[1] « Ad nonum dicendum, quod hoc quod dico *esse* est inter omnia perfectissimum : quod ex hoc patet quia actus est semper perfectior potentia. Quaelibet autem forma signata non intelligitur in actu nisi per hoc quod esse ponitur. Nam humanitas vel igneitas potest considerari ut in potentia materiae existens, vel ut in virtute agentis, aut etiam ut in intellectu; sed hoc quod habet esse, efficitur actu existens. Unde patet quod hoc quod dico *esse* est actualitas omnium actuum, et propter hoc est perfectio omnium perfectionum. Nec intelligendum est, quod ei quod dico *esse*, aliquid addatur quod sit eo formalius, ipsum determinans, sicut actus potentiam; *esse* enim quod hujusmodi est, est aliud secundum essentiam ab eo cui additur determinandum. Nihil autem potest addi ad *esse* quod sit extraneum ab ipso, cum ab eo nihil sit extraneum nisi non-ens, quod non potest esse nec forma nec materia. Unde non sic determinatur *esse* per aliud sicut potentia per actum, sed magis sicut actus per potentiam. Nam et in definitione formarum ponuntur propriae materiae loco differentiae, sicut cum dicitur quod anima est actus corporis physici organici. Et per hunc modum hoc *esse* ab illo *esse* distinguitur, in quantum est talis vel talis naturae. Et per hoc dicit Dionysius (cap. V *De Div. Nom.*, non remote a princ.), quod licet viventia sint nobiliora quam existentia, tamen esse est nobilius quam vivere : viventia enim non tantum habent vitam, sed cum vita simul habent et esse ». S. Thomas d'Aquin, *De Potentia*, qu. VII, art. 2, ad 9^m. — Cf. *Sum. theol.*, I, qu. 4, art. 1, ad 3^m. *Qu. disp. de Anima*, art. VI, ad 2^m. *Quaest. Quodlibetales*, Quodlib. IX, art. 3, *Resp.*

mulée par la définition marque donc le point
d'affleurement d'une actualité existentielle que
nous concevons en elle et par elle, mais non
autrement.

On s'explique par là l'opposition prétendue
que plusieurs historiens ont notée entre deux
thèses dont le caractère thomiste est pourtant
hors de conteste : d'une part les quiddités sont
les objets naturels de l'intellect, d'autre part
les essences nous sont inconnues [1]. L'opposition n'est pourtant qu'apparente. Chaque fois
que saint Thomas affirme que les essences et
formes substantielles nous sont inconnues, il
ne manque pas d'ajouter quelque chose comme
ceci : *innotescunt autem nobis per accidentia
propria.* Inversement, lorsqu'il parle d'une connaissance des essences, c'est qu'il pense à la

---

[1] Cf. par exemple, G. Rabeau, *Species, Verbum. L'activité
intellectuelle élémentaire selon S. Thomas d'Aquin,* J. Vrin, Paris,
1938; pp. 152-153, où cette aporie s'exprime en termes très précis.
L'auteur ajoute d'ailleurs que, de quelque manière qu'on
interprète le fait, saint Thomas ne peut s'être exprimé ainsi
par mégarde. A quoi nous ajouterons que, bien que la quiddité
soit l'essence en tant que connaissable et définissable par nous
le terme peut être parfois employé pour désigner l'essence; mais
saint Thomas évite de le faire lorsque le problème de la cognos-
cibilité de l'essence est en jeu. Ainsi, saint Thomas écrit, *De
spiritualibus creaturis,* art. XI, ad 3ᵐ, « quod formae substan-
tiales *per seipsas* sunt nobis ignotae »; G. Rabeau nous dit que
« la réponse à l'objection 7... dit exactement le contraire » (*op.
cit.,* p. 151, note 5). Voici cette réponse : « ...duplex est operatio,
intellectus,... Una qua intelligit quod quid est : et tali operatione intellectus potest intelligi essentia rei... » (*op. cit.,* art. XI,
ad 7ᵐ). L'intellection de l'essence par l'intellection de la quiddité
ne contredit en rien le fait que les formes substantielles nous
soient inconnues *per seipsas.* Au contraire, l'une des thèses implique l'autre.

connaissance que nous avons de leur quiddité. En ce sens, on peut parler d'une intellection et même d'une compréhension de l'essence par l'intellect humain, mais ce n'est pas une intuition intellectuelle directe de l'essence dans son intelligibilité pure, c'est une intellection de l'essence telle qu'elle nous est perceptible dans ses opérations. Or l'essence en tant qu'elle se manifeste en ses effets sensibles n'est autre que la quiddité, car c'est telle que nous connaissons l'essence et c'est cela que nous définissons pour répondre à la question *quid*.

Il est donc simultanément vrai de dire que les essences nous sont inconnues et que pourtant nous les concevons. Elles nous sont inconnues parce que la forme, qui leur confère l'intelligibilité, est elle-même purement intelligible; or l'intelligible pur échappe à notre intuition; donc, *per seipsas*, elles nous sont inconnues. Mais nous les concevons pourtant, parce qu'elles sont présentes dans leurs effets sensibles, que nous percevons, et d'où notre intellect les abstrait comme quiddités. Le réalisme classique repose donc sur le double fait que notre connaissance atteint vraiment le réel, parce qu'elle est causée en nous par ce réel même; et que, même si elle n'en est pas l'intuition, notre connaissance atteint le réel tel qu'il est, parce que notre intellect saisit ce qu'il y a d'intelligible dans le réel grâce à notre sensibilité. La différence qui sépare ici saint Thomas de Kant n'est pas que l'un nous accorderait une intuition intelligible des choses en soi que l'autre nous refuse, mais que l'un maintient, ce que l'autre nie, que notre connaissance par concepts, bien qu'elle n'épuise pas l'intelligible du réel comme ferait une intuition, l'atteint pourtant tel qu'il est en soi.

C'est pourquoi, en fin de compte, on ne prend rien du réalisme tant qu'on ne le prend pas tout entier. Penser en réaliste, c'est penser que ce qui s'exprime dans notre définition de l'homme : animal raisonnable, c'est l'essence de l'homme, et que ce qui fonde notre connaissance comme réelle, c'est, dans l'essence elle-même, l'acte existentiel qui la fait être et être ce qu'elle est. On est donc encore bien loin de compte lorsqu'on se résigne à admettre du bout des lèvres que la vérité est l'adéquation de l'entendement et de la chose. Pour donner à cette formule son sens réaliste plénier, il faut dépasser le plan où la chose se réduit à une essence elle-même réduite à la quiddité que la définition exprime. Toute la noétique de saint Thomas invite à passer au delà, et il lui est même arrivé de le dire en propres termes, bien que cela lui parût sans doute évident : ce n'est pas l'essence, mais l'acte d'exister de la chose, qui est le fondement ultime de ce que nous savons de vrai sur elle. Or il se trouve, par un bonheur qui n'est pas complètement un hasard, que l'exemple choisi par saint Thomas est justement celui du concept d'être : « Cum autem in re sit quidditas ejus et suum esse, *veritas fundatur in esse rei magis quam in ipsa quidditate,* sicut nomen entis ab esse imponitur; et in ipsa operatione intellectus accipientis esse rei sicut est per quamdam similationem ad ipsum,

completur relatio adaequationis, in qua consistit ratio veritatis [1]. »

Nous voici donc ramenés à la question dont
nous cherchions la réponse, et l'on voit où cette
réponse se trouve : pour que l'homme perçoive
l'être par son intellect, il faut qu'une existence
lui soit donnée, dans un existant perceptible
à sa sensibilité. On ferait donc fausse route en
posant le problème du seul point de vue du jugement d'existence, car avant d'affirmer l'existence, il faut l'appréhender; mais on se trompe-
rait également en cherchant dans une *species
intelligibilis* de l'existence actuelle la cause de
notre connaissance de l'existence de son objet.
Quelle que soit l'espèce intelligible dont il dispose, l'intellect n'en concevra que de l'universel.
Mais l'intellect peut *voir* l'être dans le sensible
que nous percevons. La continuité de l'intellect
au sens dans le sujet connaissant nous permet
de le faire. Or il est certain, et chacun peut
l'éprouver en soi-même, que notre pensée de
l'être ne s'accompagne souvent que d'images plus
ou moins vagues, parfois même d'images simplement verbales, qui ne conduisent le jugement à
aucune existence concrète; d'autres fois, nous
pensons des objets comme existants, mais sans
faire plus qu'appliquer le concept abstrait d'existence aux images qui les représentent; lorsque
le concept d'être est au contraire abstrait d'un
existant concret perçu par le sens, le jugement

[1] THOMAS D'AQUIN, *In I Sent.*, dist. 19, qⁿ. 5, art, 1, *Sol.*;
éd. P. Mandonnet, vol. I, p. 486.

qui prédique l'être de cet existant le lui attribue
tel que le conçoit l'intellect, c'est-à-dire comme
« vu » dans le sensible donné dont il l'abstrait.

On découvre ici le sens réaliste de la formule :
ens est quod primum cadit in intellectu. Du premier coup, l'intellect appréhende dans son objet
ce qu'il y a en lui de plus profond : *l'actus essendi.*
Mais ce n'est pas l'Etre pur qui s'offre à nous
dans l'expérience, c'est l'être des substances
concrètes dont les qualités sensibles affectent
nos sens. On peut donc dire que l'existence
accompagne toutes nos perceptions, car nous ne
pouvons appréhender directement d'autres existences que celle des quiddités sensibles, et nous
ne pouvons en appréhender aucune que comme
un existant. L'expérience atteste que c'est là ce
qui se passe. Est-il donc si difficile de comprendre
que le concept d'être s'offre à la conscience comme
une perception intuitive, lorsque l'être conçu
est celui d'un sensible intuitivement perçu?
Les actes existentiels qui atteignent et fécondent
l'intellect par la sensibilité s'élèvent en nous
à la conscience d'eux-mêmes et la connaissance
réaliste jaillit à ce contact immédiat de la chose
connue et du sujet connaissant.

C'est donc en vertu d'une illusion que l'on
prétend acculer le réalisme classique à un « médiatisme » quelconque, sous prétexte qu'entre
la chose et l'intellect s'intercalent toute une
série d'intermédiaires et que l'intellect est séparé
des choses par la sensibilité. L'intellect humain,
pas plus que la sensibilité humaine, n'existent
à part de l'homme dont ils sont l'intellect et la

sensibilité; si la connaissance dont nous scrutons la nature est celle de l'homme, on est donc bien fondé à dire que rien ne s'interpose entre le sujet connaissant et l'objet connu. Or ce qui est vrai de toute connaissance réelle, c'est-à-dire portant sur des sujets concrets actuellement existants, est éminemment vrai de la connaissance de leur existence. Car puisque l'*actus essendi* n'a d'autre contraire que le néant, il n'y a pas de milieu pour nous entre en connaître l'existence ou n'en rien connaître. L'intellect peut abstraire de la chose connue n'importe lequel de ses éléments constitutifs pour le penser à part, ou pour penser à part ce qui reste de la chose abstraction faite de cet élément. Nous pouvons, par exemple, concevoir la forme d'une substance à part de sa matière, ou même définir sa matière à part de sa forme; dans les deux cas, nous obtenons un concept distinct et intelligible; mais comment penser tout ou partie d'une substance à part de l'être? Si ce n'est pas de l'être, ce n'est rien, et nous ne pensons plus parce que nous n'avons plus rien à penser. Il faut donc nécessairement conclure que si la connaissance de l'existence est abstractive, elle est une abstraction inséparable de l'existence dont on l'abstrait.

Envisagés de ce point de vue, les labeurs et les inquiétudes que s'imposent certains réalistes pour faire justice à ce qu'ils croient deviner de sain dans l'idéalisme, apparaissent condamnés à demeurer sans fruit. Vouloir penser l'idéalisme est vouloir penser l'impensable. Il n'est donc pas surprenant que les idéalistes eux-mêmes n'y réussissent pas. Si l'être est le premier objet de l'entendement, il doit l'être pour tout entendement humain, sans aucune exception. Il l'est en effet si bien, que tout refus d'accepter l'être où il se trouve oblige à le placer ensuite où il n'est pas. Lorsqu'un homme refuse de penser en réaliste où il faut, il se condamne inévitablement à penser en réaliste là où il ne faut pas. En fait, et c'est l'une des leçons les plus précieuses que nous puissions apprendre de l'histoire, l'expérience philosophique prouve que toute interprétation idéaliste du réel se double d'une interprétation réaliste de la connaissance que nous en avons. C'est ce qui est arrivé d'abord à Descartes qui, refusant de partir des choses matérielles posées comme existantes, s'est immédiatement vu contraint à poser la Pensée comme une substance et à traiter en choses douées d'une réalité objective propre les idées dont il partait. S'il n'avait pas réifié ces abstractions, Descartes n'aurait plus eu de choses à penser ni hors de lui ni en lui; dès son premier pas, sa philosophie aurait sombré dans le néant. De là le monde fantasmagorique de « natures simples » dans lequel il a vécu sa vie de philosophe et où tout réaliste qui s'y engage se condamne à vivre avec lui. Mais les « esprits » de Berkeley sont des fantômes de même origine que les Pensées cartésiennes, car si la réalité des corps a cessé d'exister pour l'évêque de Cloyne, ses esprits purs en ont assimilé la substance, et comme ils ne peuvent plus emprunter leurs idées d'un monde extérieur fait de choses, ils perçoivent comme

des choses ce qu'ils disent n'être que des idées.
Comme l'a répété vingt fois Berkeley, les choses
sont telles que nous les percevons parce que ce
sont nos idées qui sont les choses. Sa philosophie
naïve croit avoir sauvé le monde de ce qu'il nomme
le scepticisme de Descartes et de Locke en résol-
vant le problème du rapport de la connaissance
au réel par la suppression pure et simple du réel.
Il faut donc bien que la réalité se transporte
alors dans la connaissance. Ce qui fait l'intérêt
unique de l'expérience tentée par Berkeley,
c'est qu'elle est le réalisme de la pensée le plus
naïf que le monde ait jamais connu.

Dès que l'on sort du réalisme, on se trouve
donc condamné à commettre le sophisme que,
modifiant légèrement une formule justement
fameuse de A. N. Whitehead, nous pourrions
nommer le « sophisme de l'existence mal placée ».
De ce centre de perspective, toute l'histoire de
la philosophie, en tant qu'elle se rapporte à ce
problème, peut se diviser en deux : le réalisme
naturel d'une part et, d'autre part, toutes les
variétés concevables de l'erreur idéaliste, sous
quelque forme qu'elle se soit exprimée. Ce que
l'on nomme l'idéalisme platonicien ne fait qu'un
avec ce que l'on nommait réalisme au moyen
âge et ce que l'on nommait réalisme au moyen
âge est de même origine que ce que nous nommons idéalisme aujourd'hui. Ayant commencé
par discréditer la réalité sensible, jusqu'à en faire
un presque non-être, Platon et Plotin ont dû
attribuer à autre chose la réalité qu'ils lui refu-
saient. L'irréalisme du monde réel s'est donc

doublé chez eux d'un réalisme du monde irréel.
Le réalisme médiéval des Idées ou des Univer-
saux ne fut que la contre-partie d'un certain
manque de réalisme dans l'ordre sensible. C'est
d'ailleurs pourquoi les historiens hésitent visiblement à qualifier d'idéalisme le réalisme platonicien des Idées; quelque nom qu'on lui donne,
on emploie deux termes différents pour désigner
la même erreur philosophique. Il n'y a qu'un
réalisme digne de ce nom, c'est celui qui consiste
à attribuer l'existence à ce qui existe et à la
refuser à tout le reste. Et il n'y a qu'un idéalisme,
qui consiste à refuser l'existence à ce qui existe
et à l'attribuer à ce qui n'existe pas. Que ce
soient les Idées de Platon, les Natures d'Avicenne, la Pensée de Descartes ou les Esprits de
Berkeley, peu importe; le phénomène demeure
au fond le même : hors du réalisme naturel de
l'aristotélisme classique il n'y a que des réalismes
invertis.

L'importance exceptionnelle de l'œuvre de
Kant tient à ce que, le premier, il mit en évidence ce caractère essentiel de tout idéalisme
dogmatique. Ce que l'on pourrait appeler l'*in-
version idéaliste* apparaissant désormais comme
une simple maladie du réalisme naturel, la décision s'imposait de congédier toute spéculation
de ce genre comme étrangère à la connaissance
philosophique. C'est pourquoi, se libérant d'un
seul coup de tous les dogmatismes, Kant décida
de chercher, dans l'étude des conditions *a priori*
de la connaissance, le moyen de fonder la connaissance en la limitant. On obtenait ainsi un

idéalisme critique, c'est-à-dire dégrevé de toute hypothèse sur la nature ultime du réel en soi et fermement décidé à ne se charger d'aucune responsabilité à cet égard.

Pris en lui-même, et la décision initiale qui le fonde une fois accordée, l'idéalisme critique est une position philosophique intelligible. Tant qu'il reste fidèle à son essence, comme par exemple dans la philosophie de M. L. Brunschvicg, il est parfaitement cohérent et rend le service que ses défenseurs en attendent : éliminer radicalement de la philosophie tout réalisme, que ce soit le réalisme normal ou le réalisme inverti. Mais le réalisme ne peut pas être éliminé de la pensée elle-même, parce qu'il ne peut pas être éliminé des réalités au contact desquelles naît la connaissance. C'est pourquoi le réalisme que la critique élimine de la philosophie, et qui reste pourtant dans la connaissance, retombe, dans l'idéalisme critique à la condition infraphilosophique d'un simple réalisme de sens commun. On aboutit alors à cette conséquence paradoxale : une philosophie dans laquelle le fait que le monde extérieur existe apparaît comme un détail dénué de toute importance, puisque, bien que sans doute il existe, tout se passe dans cette philosophie comme s'il n'existait pas. L'idéalisme critique ne peut donc atteindre son but qu'en s'accordant d'emblée les conclusions d'un réalisme dans lequel lui-même refuse de s'engager. Sa pureté exige qu'il porte à son crédit les bénéfices d'une entreprise aux frais de laquelle il refuse de participer.

D'abord, l'idéaliste critique vivra dans deux
univers radicalement distincts : l'un dans lequel
il utilise comme homme les ressources que le
professeur de philosophie s'assure en enseignant
l'autre. Mais non seulement l'homme, le philosophe même s'assurera le bénéfice des
deux mondes à la fois. Que le monde extérieur
existe, l'idéaliste critique se garde bien de le
nier, parce qu'en le niant il retomberait dans
l'idéalisme métaphysique de Berkeley, mais il
ne semble pas s'apercevoir que l'on ne peut
l'accepter sans accepter en même temps le réalisme métaphysique du sens commun. Comme
disait Kant, puisqu'il y a des apparences, il faut
bien qu'il y ait des choses qui apparaissent.
C'est le bon sens même, mais, si l'on s'y résigne,
cette constatation engage celui qui la fait dans
un réalisme existentiel qui ne diffère de celui
d'Aristote que par le refus de se prendre comme
objet de réflexion philosophique, fût-ce simplement pour se rendre intelligible à soi-même en
se comprenant.

Ainsi, l'idéalisme critique n'évite une métaphysique de l'existence qu'en décrétant sans
portée philosophique le fait qu'il existe un monde
de choses connues et de sujets connaissants.
Il lui faut cependant aller plus loin dans la voie
de ce curieux désintéressement philosophique.
De même que les philosophes du jugement ne
se prennent pas eux-mêmes pour de simples
groupes de jugements formés par des facultés
de juger autres que la leur, le monde des corps
dont ils acceptent l'existence ne se réduit pas

réellement pour eux à un x éternellement caché dans le cône d'ombre du phénomène. Puisqu'ils acceptent son existence, les idéalistes critiques savent du monde extérieur au moins ceci, qu'il est connaissable, et même qu'il se prête à la connaissance. Le moins que l'on puisse dire du « choc » fichtéen, c'est qu'il est un choc intelligible, et comme le bûcheron sait que le bois ne se fend bien que dans le sens des fibres, le savant sait mieux que personne que la réalité empirique est de structure fibreuse : on ne la comprend et l'on ne progresse dans sa connaissance qu'en suivant ses lignes d'intelligibilité. Assurément, la raison anticipe souvent sur l'expérience, mais elle n'en peut rien prévoir qu'en fonction de ce qu'elle en a appris. Nul, je pense, ne songe à nier la réalité des échanges entre la raison et l'expérience; ils sont la trame même dont la science est faite. Puisque l'idéalisme critique est une réflexion sur la connaissance, il la présuppose, elle et ses conditions. L'idéaliste critique admet donc au moins ceci, que les choses doivent être telles qu'elles puissent être connues et que le sujet connaissant doit être tel qu'il puisse les connaître. Se demander à quelles conditions le fait de la connaissance est possible, c'est aborder le problème de l' « ontologie du connaître[1] » et conduire l'épistémologie jusqu'à son terme naturel, la métaphysique. En décidant de s'enfermer dans une réflexion sur les condi-

---

[1] Il est à peine besoin de rappeler ici le livre excellent publié sous ce titre par M. Y. Simon.

tions *a priori* de la science, l'idéalisme critique
fait du moins preuve d'un sûr instinct de con-
servation, car il ne déclare les problèmes métaphysiques insolubles qu'en les tenant pour
résolus. Comment argumenter au nom de la justice contre un arbitraire qui ne reconnaît pas la
justice, sauf à se prévaloir des bénéfices qu'il en
retire? Et comment raisonner contre l'idéalisme
critique au nom de la métaphysique dont il nie
la valeur de connaissance, quitte à s'accorder
sans discussion ce que la métaphysique seule fait
connaître? L'idéalisme critique prend sa profession d'ignorance pour une profession de
sagesse. Qu'il blasphème ensuite ce qu'il ignore,
c'est trop humain pour qu'on songe à le lui
reprocher.

La situation de fait où se trouve la philosophie depuis Kant ne saurait donc être décrite
comme une pure et simple substitution de
l'idéalisme au réalisme. Au fond de tout idéalisme
critique se trouve le réalisme naïf sur lequel il
repose. La seule différence est qu'au lieu d'espérer l'élaboration rationnelle qui le rendrait
intelligible à soi-même, ce réalisme s'est désormais retranché dans sa naïveté essentielle. Le
réalisme de l'idéaliste critique est naïf par vocation. Sans doute il n'y a pas de fissure à l'intérieur de sa philosophie, mais cette cohérence
interne présuppose une rupture complète entre
sa philosophie de la connaissance et la connaissance dont elle se dit la philosophie, puisque sa
philosophie repose sur une connaissance de sens
commun dont, en tant que philosophe, l'idéaliste

ne pense rien. Une philosophie conditionnée par
une condition complètement inintelligible est
une philosophie complètement arbitraire, que
tout invite donc à rejeter.

Si ce que nous avons dit est vrai, le sentiment généralisé dans certaines écoles néoscolastiques que, au moins à titre de méthode,
l'idéalisme est inévitable, doit naître de quelque
illusion sur la nature vraie de la philosophie.
On nous dit que le problème de l'existence du
monde extérieur se pose, puisque des philosophes
l'ont posé. Oui, mais il n'a été posé que par des
philosophies qui, niant son caractère d'évidence,
ont tenté la tâche impossible d'en donner une
démonstration. Le problème ne surgit ainsi
comme problème qu'au moment où l'existence
actuelle qu'il s'agit d'atteindre est perdue pour
toujours. Pourquoi donc le problème se pose-t-il?
En vertu d'une erreur de méthode à laquelle le
réalisme doit s'opposer comme étant lui-même
la méthode vraie.

Il s'en faut en effet de beaucoup que les points
de départ de l'idéalisme soient des évidences
immédiates. En fait, aucun principe idéaliste
de la connaissance ne se pose comme immédiatement évident. Chacun d'eux n'est trouvé par
la pensée qu'au terme d'une analyse réflexive qui
conduit les prisonniers de la caverne à voir la
lumière du jour : le cartésien à se purifier du
doute sensible dans la certitude du *Cogito* et le
kantien à se libérer du scepticisme de Hume dans
les conditions *a priori* qui fondent la nécessité
du jugement. Dans tous ces cas la découverte

du premier principe idéaliste est conditionnée par une réflexion analytique, dont le terme ultime est érigé en premier principe de la connaissance. Cette méthode est devenue si importante aux yeux des philosophes modernes qu'ils l'ont identifiée, sous le nom de méthode réflexive, à la conduite normale de la réflexion philosophique. Et il est certain que toute enquête philosophique est réflexive, mais la méthode dite réflexive est autre chose qu'une simple réflexion. Elle consiste à faire du terme ultime d'une réflexion analytique la condition nécessaire et suffisante de la réalité analysée. Si, comme on l'a vu, la connaissance intellectuelle est une connaissance abstractive, la méthode réflexive s'engage à poser ce que l'entendement conserve de la réalité comme la cause nécessaire et suffisante de ce qu'il en a éliminé au cours de l'analyse régressive qu'il vient d'achever. Une telle manière de faire est sophistique et féconde en impossibilités de tout genre.

Elle est sophistique, parce qu'elle consiste à faire d'un concept, causé en nous par les choses, une idée qui soit elle-même une cause. La méthode réflexive présuppose donc que, pour être ultime, un concept devienne génériquement différent de tous ceux dont il est abstrait. L'idéaliste se trouve alors confronté avec une option inévitable : ou bien transformer le concept en idée, par une décision que rien ne justifie, et entrer ainsi dans la voie de l'idéalisme métaphysique, ou bien nier le concept et l'idée après avoir nié les choses, ce qui conduit au nihilisme critique, terme normal d'une méthode idéaliste fidèle à l'esprit qui l'inspire. Les philosophies modernes du jugement sont le type parfait de ce nihilisme, puisqu'elles ne retiennent plus du réel que des actes purs de relier des absences de termes intelligibles, à l'occasion de chocs inintelligibles dont on ne sait ce qui les produit. Des jugements sans concepts restaient concevables dans un nominalisme de l'intuition sensible tel que celui d'Ockham, mais une fois l'intuition sensible disqualifiée, cette attitude réduit la philosophie à l'état d'une réflexion qui se nourrit d'elle-même : *chimaera bombinans in vacuo comedens secundas intentiones*. La philosophie contemporaine du jugement dépasse de bien loin ce que le moyen âge a connu de plus stérile : elle passe son temps à courir derrière une science qui ne se soucie guère d'elle et qui n'apprécie que modérément l'approbation retardataire que donnent les philosophes à ce qu'elle-même, comme science, commence à désapprouver.

Pourquoi des philosophes réalistes s'engageraient-ils dans une partie de ce genre? S'ils le font, ou il leur faudra piper les dés en faisant semblant de découvrir cette existence du monde extérieur qu'ils ont prise pour accordée, ou il leur faudra sérieusement entreprendre de démontrer une évidence, et par conséquent la détruire. Or essayer de faire le métier d'un idéaliste, c'est, pour un réaliste, renoncer à faire le sien : d'abord, maintenir la vérité contre ceux qui contestent les premiers principes; ensuite, faire apparaître ces principes eux-mêmes en pleine lumière, dans leur évidence de principes; enfin, décrire ces principes selon leur nature propre, pour assigner à chacun d'eux la place qui lui revient dans l'édifice de la connaissance humaine. Ainsi deviendrait possible une épistémologie réaliste fondée sur l'évidence intrinsèque des principes et sur l'accord qui s'établit à la fois entre eux-mêmes et d'eux à la réalité.

Un bon désaccord philosophique vaut mieux, disions-nous, qu'un faux accord qui sombre dans la confusion. Certains ont voulu voir dans le désir de pureté qui anime tout vrai réalisme je ne sais quelle méthode intentionnellement outrancière et l'obsession de pousser à son maximum l'opposition du réalisme et de l'idéalisme. La vraie question n'est pas là, car il s'agit d'abord de savoir si l'opposition du réalisme et de l'idéalisme *peut* être exagérée. Elle pourrait l'être s'il était possible d'exagérer une opposition philosophique qui porte sur la nature du premier principe de la connaissance; elle ne peut pas l'être s'il n'y a pas d'opposition concevable plus absolue que celle qui met aux prises l'acceptation de la connaissance humaine telle qu'elle est et son rejet pour un motif quelconque. L'opposition du réalisme et de l'idéalisme est absolue; il faut donc penser en conséquence et dire ce que l'on pense, comme on le pense. Car si cela est vrai, il est bon de le dire. Philosopher ne consiste pas à aider les autres à croire qu'ils pensent juste lorsqu'ils pensent faux, et la pire méthode pour les sortir de leur erreur est de faire semblant de la partager. Il n'y a qu'une vérité, la même pour tous, et le souverain bien de tous les êtres raisonnables est de la connaître telle qu'elle est. Lorsque le philosophe la voit, il ne peut que s'incliner devant elle, car telle est la sagesse; et ce qu'il peut faire de mieux pour les autres est de la leur donner telle qu'il l'a trouvée, car telle est la charité.

TABLE DES MATIÈRES

Paris. I. F. M. R. P. 1947
Imprimé en France